普通高等教育"十一五"

 北大版长期进修汉语教材

Boya Chinese

Intermediate

Second Edition | 第二版

 I

博雅汉语·中级冲刺篇

李晓琪　主编

赵延风　编著

北京大学 出版社
PEKING UNIVERSITY PRESS

图书在版编目（CIP）数据

博雅汉语·中级冲刺篇 I / 李晓琪主编，赵延风编著 . — 2 版 . — 北京：北京大学出
版社，2013.3

（北大版长期进修汉语教材）

ISBN 978-7-301-22141-9

Ⅰ.①博…　Ⅱ.①李…　②赵…　Ⅲ.汉语—对外汉语教学—教材　Ⅳ.① H195.4

中国版本图书馆 CIP 数据核字（2013）第 028384 号

书　　　　名：博雅汉语·中级冲刺篇 I（第二版）

著作责任者：李晓琪　主编　赵延风　编著

责 任 编 辑：邓晓霞

标 准 书 号：ISBN 978-7-301-22141-9 / H· 3249

出 版 发 行：北京大学出版社

地　　　　址：北京市海淀区成府路 205 号　　100871

网　　　　址：http://www.pup.cn　新浪官方微博：@北京大学出版社

电　　　　话：邮购部 62752015　发行部 62750672　编辑部 62767349　出版社 62754962

电 子 信 箱：zpup@pup.pku.edu.cn

印　刷　者：北京大学印刷厂

经　销　者：新华书店

889 毫米 × 1194 毫米　大 16 开本　15.5 印张　340 千字

2005 年 2 月第 1 版

2013 年 3 月第 2 版　2014 年 5 月第 3 次印刷

定　　　　价：60.00 元（含 MP3 光盘 1 张）

第二版前言

2004年，《博雅汉语》系列教材的第一个级别——《初级起步篇》在北京大学出版社问世，之后其余三个级别《准中级加速篇》《中级冲刺篇》和《高级飞翔篇》也陆续出版。八年来，《博雅汉语》一路走来，得到了同行比较广泛的认同，同时也感受到了各方使用者的关心和爱护。为使《博雅汉语》更上一层楼，更加符合时代对汉语教材的需求，也为了更充分更全面地为使用者提供方便，《博雅汉语》编写组全体同仁在北京大学出版社的提议下，于2012年对该套教材进行了全面修订，主要体现在：

首先，作为系列教材，《博雅汉语》更加注意四个级别的分段与衔接，使之更具内在逻辑。为此，编写者对每册书的选文与排序，生词的多寡选择，语言点的确定和解释，以及练习设置的增减都进行了全局的调整，使得四个级别的九册教材既具有明显的阶梯性，由浅入深，循序渐进，又展现出从入门到高级的整体性，翔实有序，科学实用。

其次，本次修订为每册教材都配上了教师手册或使用手册，《初级起步篇》还配有学生练习册，目的是为使用者提供最大的方便。在使用手册中，每课的开篇就列出本课的教学目标和要求，使教师和学生都做到心中有数。其他内容主要包括：教学环节安排、教学步骤提示、生词讲解和扩展学习、语言点讲解和练习、围绕本课话题的综合练习题、文化背景介绍，以及测试题和练习参考答案等。根据需要，《初级起步篇》中还有汉字知识的介绍。这样安排的目的，是希望既有助于教学经验丰富的教师进一步扩大视野，为他们提供更多参考，又能帮助初次使用本教材的教师从容地走进课堂，较为轻松顺利地完成教学任务。

再次，每个阶段的教材，根据需要，在修订方面各有侧重。

《初级起步篇》：对语音教学的呈现和练习形式做了调整和补充，强化发音训练；增加汉字练习，以提高汉字书写及组词能力；语言点的注释进行了调整和补充，力求更为清晰有序；个别课文的顺序和内容做了微调，以增加生词的重现率；英文翻译做了全面校订；最大的修订是练习部分，除了增减完善原有练习题外，还将课堂练习和课后复习分开，增设了学生练习册。

《准中级加速篇》：单元热身活动进行了调整，增强了可操作性；生词表中的英文翻译除了针对本课所出义项外，增加了部分常用义项的翻译；生词表后设置了"用刚学过的词语回答下面的问题"的练习，便于学习者进行活用和巩固；语言点的解释根据学生常出现的问题增加了注意事项；课文和语言点练习进行了调整，以更加方便教学。

《中级冲刺篇》：替换并重新调整了部分主副课文，使内容更具趣味性，词汇量的递增也更具科学性；增加了"词语辨析"栏目，对生词中出现的近义词进行精到的讲解，以方便教师和学习者；调整了部分语言点，使中高级语法项目的容量更加合理；加强了语段练习力度，增加了相应的练习题，使中高级语段练习更具可操作性。

《高级飞翔篇》：生词改为旁注，以加快学习者的阅读速度，也更加方便学习者查阅；在原有的"词语辨析"栏目下，设置"牛刀小试"和"答疑解惑"两个板块，相信可以更加有效地激发学习者的内在学习动力；在综合练习中，增加了词语扩展内容，同时对关于课文的问题和扩展性思考题进行了重新组合，使练习安排的逻辑更加清晰。

最后，在教材的排版和装帧方面，出版社投入了大量精力，倾注了不少心血。封面重新设计，使之更具时代特色；图片或重画，或修改，为教材锦上添花；教材的色彩和字号也都设计得恰到好处，为使用者展现出全新的面貌。

我们衷心地希望广大同仁继续使用《博雅汉语》第二版，并与我们建立起密切的联系，希望在我们的共同努力下，打造出一套具有时代特色的优秀教材。

在《博雅汉语》第二版即将出版之际，作为主编，我衷心感谢北京大学对外汉语教育学院的八位作者。你们在对外汉语教学领域都已经辛勤耕耘了将近二十年，是你们的经验和智慧成就了本套教材，是你们的心血和汗水浇灌着《博雅汉语》茁壮成长，谢谢你们！我也要感谢为本次改版提出宝贵意见的各位同仁，你们为本次改版提供了各方面的建设性思路，你们的意见代表着一线教师的心声，本次改版也融入了你们的智慧。我还要谢谢北京大学出版社汉语编辑部，感谢你们选定《博雅汉语》进行改版，感谢你们在这么短的时间内完成《博雅汉语》第二版的编辑和出版！

李晓琪

2012 年 5 月

第一版前言

　　语言是人类交流信息、沟通思想最直接的工具，是人们进行交往最便捷的桥梁。随着中国经济、社会的蓬勃发展，世界上学习汉语的人越来越多，对各类优秀汉语教材的需求也越来越迫切。为了满足各界人士对汉语教材的需求，北京大学一批长期从事对外汉语教学的优秀教师在多年积累的经验之上，以第二语言学习理论为指导，编写了这套新世纪汉语精品教材。

　　语言是工具，语言是桥梁，但语言更是人类文明发展的结晶。语言把社会发展的成果一一固化在自己的系统里。因此，语言不仅是文化的承载者，语言自身就是一种重要的文化。汉语，走过自己的漫长道路，更具有其独特深厚的文化积淀，她博大、她典雅，是人类最优秀的文化之一。正是基于这种认识，我们将本套教材定名《博雅汉语》。

　　《博雅汉语》共分四个级别——初级、准中级、中级和高级。掌握一种语言，从开始学习到自由运用，要经历一个过程。我们把这一过程分解为起步——加速——冲刺——飞翔四个阶段，并把四个阶段的教材分别定名为《起步篇》（Ⅰ、Ⅱ）、《加速篇》（Ⅰ、Ⅱ）、《冲刺篇》（Ⅰ、Ⅱ）和《飞翔篇》（Ⅰ、Ⅱ、Ⅲ）。全套书共九本，既适用于本科的四个年级，也适用于处于不同阶段的长、短期汉语进修生。这是一套思路新、视野广，实用、好用的新汉语系列教材。我们期望学习者能够顺利地一步一步走过去，学完本套教材以后，可以实现在汉语文化的广阔天空中自由飞翔的目标。

　　第二语言的学习，在不同阶段有不同的学习目标和特点。《博雅汉语》四个阶段的编写既遵循汉语教材的一般性编写原则，也充分考虑到各阶段的特点，力求较好地体现各自的特色和目标。

《起步篇》

　　运用结构、情景、功能理论，以结构为纲，寓结构、功能于情景之中，重在学好语言基础知识，为"飞翔"做扎实的语言知识准备。

《加速篇》

　　运用功能、情景、结构理论，以功能为纲，重在训练学习者在各种不同情景中的语言交际能力，为"飞翔"做比较充分的语言功能积累。

《冲刺篇》

　　以话题理论为原则，为已经基本掌握了基础语言知识和交际功能的学习者提供经过精心选择的人类共同话题和反映中国传统与现实的话题，目的是在新的层次上加强对学习者运用特殊句型、常用词语和成段表达能力的培养，推动学习者自觉地进入"飞翔"阶段。

《飞翔篇》

　　以语篇理论为原则，以内容深刻、语言优美的原文为范文，重在体现人文精神、突出人类共通文化，展现汉语篇章表达的丰富性和多样性，让学习者凭借本阶段的学习，最终能在汉语的天空中自由飞翔。

为实现上述目的，《博雅汉语》的编写者对四个阶段的每一具体环节都统筹考虑，合理设计。各阶段生词阶梯大约为 1000、3000、5000 和 10000，前三阶段的语言点分别为：基本覆盖甲级，涉及乙级——完成乙级，涉及丙级——完成丙级，兼顾丁级。《飞翔篇》的语言点已经超出了现有语法大纲的范畴。各阶段课文的长度也呈现递进原则：600 字以内、1000 字以内、1500~1800 字、2000~2500 字不等。学习完《博雅汉语》的四个不同阶段后，学习者的汉语水平可以分别达到 HSK 的 3 级、6 级、8 级和 11 级。此外，全套教材还配有教师用书，为选用这套教材的教师最大可能地提供方便。

综观全套教材，有如下特点：

针对性：使用对象明确，不同阶段采取各具特点的编写理念。

趣味性：内容丰富，贴近学生生活，立足中国社会，放眼世界，突出人类共通文化；练习形式多样，版面活泼，色彩协调美观。

系统性：词汇、语言点、语篇内容及练习形式体现比较强的系统性，与 HSK 协调配套。

科学性：课文语料自然、严谨；语言点解释科学、简明；内容编排循序渐进；词语、句型注重重现率。

独创性：本套教材充分考虑汉语自身的特点，充分体现学生的学习心理与语言认知特点，充分吸收现在外语教材的编写经验，力求有所创新。

我们希望《博雅汉语》能够使每个准备学习汉语的学生都对汉语产生浓厚的兴趣，使每个已经开始学习汉语的学生都感到汉语并不难学。学习汉语实际上是一种轻松愉快的体验，只要付出，就可以快捷地掌握通往中国文化宝库的金钥匙。我们也希望从事对外汉语教学的教师都愿意使用《博雅汉语》，并与我们建立起密切的联系，通过我们的共同努力，使这套教材日臻完善。

我们祝愿所有使用这套教材的汉语学习者都能取得成功，在汉语的天地自由飞翔！

最后，我们还要特别感谢北京大学出版社的各位编辑，谢谢他们的积极支持和辛勤劳动，谢谢他们为本套教材的出版所付出的心血和汗水！

李晓琪

2004 年 6 月于勺园

lixiaoqi@pku.edu.cn

编写说明

本书的目的

本教材是《博雅汉语》系列教材的中级部分——冲刺篇（Ⅰ），是为向高级阶段冲刺的中级汉语学习者编写的汉语精读教材，编写者希望达到以下几个目的：

◆为中高级汉语学习者提供既隽永典雅、活泼风趣，又完全符合语言学习规律的学习材料。

◆使学习者通过主课文、副课文、语素扩展等的学习掌握汉语中高级（丙级）词汇，使学习者最终的词汇量达到 5500~6000 左右。

◆帮助学习者在学习中高级汉语语法结构的同时，清除汉语初级、中级语法中遗留下来的难点。

◆帮助学习者循序渐进地掌握中高级成段表达中叙述、描述、支持、反驳的功能项目。

◆使学习者在语言学习的同时，自然而然地接触并了解包括中国人思维方式在内的文化因素。

◆为今后准备参加高级汉语水平考试的学习者打下坚实的基础。

◆为教师授课和学习者自学提供最大的方便，将教师备课所需内容（如生词讲解等）放在教材中解决，使即使是初次使用本书的教师，也不必花太多的时间准备。

本书的特点

为完成上述目的，针对中级阶段教与学的特点，本书采用话题理论进行编写，同时注意到语言点（词汇和语法）、功能项目和文化因素的有机融合。本书具有以下特点：

◆全书以独特的视角，由人们日常生活中的喜怒哀乐出发，逐渐将话题拓展到对人际、人情、人生、大自然、环境、社会、习俗、文化等的思考，其中不但涉及到中国古今的不同，而且还讨论到东西文化的差异，视野开阔，见解深刻，又不乏幽默感，使学习者在辛苦的语言学习过程中，好像和一位睿智而有趣的朋友相伴，在语言学习的过程中，受到中国文化潜移默化的熏陶。

◆由于编者是任教多年的对外汉语教师，非常了解语言学习的规律，因此，每一篇课文又完全符合语言教学的要求，中级阶段应学词语（以丙级词为主）和语言点（以丙级语言点为主，兼顾丁级）被有效覆盖并有机融合到课文中，同时，考虑到中高级阶段由词汇量增大而出现近义词增多情况，在"生词"栏目之后，特别增加了"近义词辨析"栏目，帮助学生更准确地使用所学词汇；另外，教材的"综合练习"部分抓住"趋向补语"、"汉语虚词"、"把字句"等初中级的难点各个突破，定会给学习者打下坚实的语法基础。

◆教材在以话题为主线选材的同时，也特别关注到中高级成段表达中叙述、描述、支持、反驳等功能项目的有机融合，有经验的教师不难发现，这些功能项目已经被由浅到深巧妙地安排在每一课中。

◆教材中的每一课按照实际教学环节进行编排，"预习部分"新颖实用，使"预习"这一环节有的放矢；课文部分的"注释"可以帮助学习者清除文化障碍；"生词部分"不但有中英文详细的解释，而且大部分的生词都有精心挑选例句，使词语的语义和用法得以充分体现，从而可以大大节省学生查词典和教师备课的时间；而随后的"近义词辨析"对于生词中出现的相近词语进行辨析，帮助教师和学生摆脱中级课堂上经常出现的近义词困扰。所有这一切，必将会给教师组织教学和学习者自学带来极大的方便。

本书的使用

根据学生水平，编写者建议每篇课文用 8~10 学时完成（包括副课文的阅读和课堂讨论）。下面简要说明每个教学环节设置的意图，并对教学步骤提出一些建议：

1. 预习。

教材的"预习"部分是为了督促学生预习而设置的，因此，学生能够完成相关表格或空格的填写、简要回答相关问题即可。通过预习，学生一方面可以熟悉课文内容，与此同时，也可以初步接触课文的生词。

2. 课文的展开和课堂练习。

课文的展开包括生词的讲解、课文的精读和语言点的解释。

a. 生词有中英文注释，并配有大量例句。中文注释放在前面，是为了让学生逐渐摆脱对母语的依赖。生词的讲解中，一定要注意训练学生通过中文注释和例句把握词义的能力，要特别强调词语的搭配和使用。为巩固词语的学习，可以让学生在课堂或课后做"词语练习"部分，这部分也可以用于课堂默写（代替听写）。生词中的近义词语，在"生词部分"之后，已经给出"词语辨析"，教师可以把这部分内容融入生词讲解中，也可在生词讲完之后，总结处理。一般来说，每一课"词语练习"的第二题是针对"词语辨析"设置的练习。

b. 对课文进行精读，可以以"预习部分"的题目为线索，使学生在进一步掌握生词和理解课文内容的基础上，逐渐可以复述课文，并且初步接触课文里语言点的用法。

c. 语言点的讲解，最好在学生已经接触到课文中的例句之后。讲解要简单明了，避免使用太多术语。为巩固语言点的学习，可以让学生在课堂或课后做"语言点练习"部分，必要时可以增加"造句"的数量。

特别提示：根据学生水平和课时长短，一篇课文可以分成两个部分进行。

3. 课后综合练习

课文的综合练习一般包括三部分内容：

a. 结合课文中出现的句子，对汉语中的语法难点进行复习。这部分内容是学生在使用汉语中容易出现"化石化错误"（水平很高后仍然出现的错误）的难点，因此要反复练习，请教师在平时教学中，不断提醒学生注意，并给学生练习的机会，不能指望一蹴而就。

b. 培养学生成段表达能力。这部分的题目，常常有多个，教师可以根据教学情况有所取舍，例如有的可以口头完成，有的可以作为书面作业。但是无论采用哪种形式，都要求是限制性表达，要求先模仿正确的格式，注意句子的连接，一定注意循序渐进，避免脱离教学目的的随意表达。

c. 副课文阅读，在重现所学生词的基础上，培养学生的阅读能力，并拓展讨论的话题，进而培养学生成段表达的能力。这部分内容之后一般都有配合为上述目的而设置的各类题目，教师可以根据实际教学情况有所取舍。

　　以上教学步骤只是编写者的一些建议，有经验的教师完全可以使用自己的方法，更有创意地使用本教材。在教材使用中如有其他问题，欢迎讨论切磋。

特别说明

　　本教材第一版从最初着手到最后成书，历时三年多时间。书稿完成后，在北京大学对外汉语教育学院的中高级班试用两个学期，根据教学中的反馈意见，编者进行了修改完善才正式出版。出版八年来，本教材在国内外有不少院校和汉语学习者进行使用，重印数量已达数万册。

　　为满足学习者的要求，2012年开始出版社决定修定新版。修定工作历时一年，编者在充分听取教材使用院校教师和学习者反馈意见的基础上，经过多次研讨，最后确定了修定方案。新版替换掉旧版中若干篇使用者兴趣度相对较低的主副课文，增加了"词语辨析"栏目，为副课文编写了操作性更强的练习，对语言点的编排、词语的释义也都进行了打磨和完善。为使教材更加赏心悦目，出版社在版式设计和插图选择上也做了完善。如今，这本教材终于再版了，感谢主编李晓琪教授的悉心指点，感谢使用本教材的教师和学习者的中肯意见，感谢出版社邓晓霞编辑的严谨工作。如果它确实可以给学习者学习和教师教学提供方便的话，那么，所有的付出都是值得的。

赵延风

2013 年 2 月 25 日于北京大学

wind@pku.edu.cn

目 录

1 名字的困惑

　　这一课讲的是一个中国人到美国后，她的名字给她带来的一些麻烦和一些有趣的事情。请你预习课文，并根据课文内容填空，看看课文的生词表里有没有你需要的词语：

1 作者的名字叫_____，刚到美国的时候，她去学校_____，老师问她叫什么名字。那时候，她的英文不太好，说话_____的，只好把入学通知书拿出来给老师看。

2 老师看了以后很_____，把作者的名字叫成了_____，让作者感到_____。

3 后来，作者在纽约一家老人_____工作，又有人把她叫作"陈"，她感到

很_____，后来才知道，那个人以为所有的中国人都_____"陈"。

4 作者_____以后，开始给没有出生的孩子_____名字。英文名字叫_____，中文名字叫_____。

5 没想到_____是个男孩子的名字，而且回到中国后，这个名字听起来好像中文的"烂泥"(lànní mud)。

6 这样，作者_____起的名字，变成了一个让人_____的笑话。

名字的困惑

　　这麻烦是十年前开始的。记得当年刚到美国，到学校去报到，进门后老师问我叫什么名字。那时我的英文还很糟，不懂几个英文单词，只好把入学通知书拿出来给他看。谁知道他看了半天不出声，我不由得心里发毛，终于忍不住用仅会的几个英文词结结巴巴地问："什么？"

　　"你的名字叫'你'？"(Your name is You?)他困惑地问。我听了莫名其妙。

　　"你叫 YouHasu？"他又问。

　　什么？我叫徐幼华，按照英文的习惯，姓要放在名后，读幼华徐（Youhua Xu），到了他的嘴里，居然成了"YouHasu"！

　　他大概也看出自己说得不对，连忙很有礼貌地问我："请问你的名字怎么念？"

　　"幼华徐。"我用标准的普通话教了他几遍，他仍是"YouHasu"，我只好放弃。

　　然而，麻烦并没有到此结束。后来不论我到哪里，只要报上姓名，美国人就目瞪口呆。好奇的会叫你再教他一遍，怕麻烦的干脆就叫我"你小姐"(Miss You)，因为"幼"字的汉语拼音正好跟英文的"你"字的拼写相同。

　　还有一次更可笑。那年我在纽约曼哈顿一家老人疗养院工作。一天，我正在病房里，忽然听到有人叫着"陈，陈"从远处走过来。我觉得很纳闷儿，因为这层楼里除了我，一个亚洲人也没有，她在叫谁呢？没想到她到了我跟前停住了："哈，原来你在这里，怎么不答应我？"抬头一看，只见一个漂亮的黑人妇女站在我面前：她笑着把一朵粉红色的康乃馨别在我的胸前，说："今天是母亲节，每人一朵。过去时、现在时、将来时的母亲，人人有份儿。"

　　"但是我不姓陈啊？"我以为她认错了人。

"那你姓什么？"

"我姓徐。"

"哦！"她愣了一下，"你们中国人不是都叫陈什么吗？"说完她哈哈大笑。也不怪她，我们不也有这样的概念吗？韩国人一定是金什么，日本人都是什么子、第几郎，东欧人是什么什么斯基，南美洲来的不是荷西，就是玛丽亚。想到这里，我自己也忍不住笑了起来。

几年以后，我结婚、怀孕，要为孩子起名字。早早就得到朋友的警告，除了写入出生证的英文名字外，一定要为孩子另起一个中文名字，因为国内的老人念不来英文。

超声波看出来是女婴，我起好了中文名字，叫汉云，意思是汉唐飘过来的一片云。英文名一直还没想出来。有一天看电视，见屏幕上打出一个名字LENNIE。先生问这个如何？把名字念了两遍，听起来不错，中文译音读"莲妮"，也很美，就定了。等到孩子抱回家来，美国邻居、友人都来祝贺，问过名字后，抱起婴儿，竟都不约而同地说："多可爱的胖小子！"我们连忙更正："不是啦，这是个女孩儿。"他们都很惊讶："LENNIE不是男孩儿的名字吗？"这还不是最糟的，女儿到了我父亲手里，他左看右看，自问自答："孩子呀，你叫什么名字？莲妮？唉呀，叫什么不好，要叫烂泥，还要姓朱，唉呀呀！"[注]

广东人常说"不怕入错行，最怕起错名"。但是多少父母费尽心机起的好名字，到了国外，译成另一种语言，却很可能变成一个让人啼笑皆非的笑话。

（作者：徐幼华，有删改）

注解

"孩子呀，你叫什么名字？莲妮？唉呀，叫什么不好，要叫烂泥，还要姓朱，唉呀呀！"

孩子的英文名字LENNIE的汉语音译是"莲妮"，意思是"像莲花（water-lily）一样美丽的女孩儿"，看上去是个很美的名字，可是发音和"烂泥"（lànní mud）很像，而且孩子的姓"朱"又和"猪"（zhū pig）同音，这样孩子的名字听起来好像"猪烂泥"（a pig in the mud），完全变成了一个让人啼笑皆非的名字。

词语表

1	报到	bào dào	向有关部门报告自己已经到了 report for duty, register

◎ 新生已开始报到。

| 2 | 糟 | zāo | 【形】 | 很不好 awful, terrible |

◎ 他的数学 / 经济情况 / 身体很糟。[1]◎ 糟了，我把钥匙锁在房间里了。

| 3 | 不由得 | bùyóude | 【副】 | 不能控制自己做某事 cannot help |

◎ 电影太感人了，她不由得流下泪来。

| 4 | 发毛 | fā máo | | 感到害怕或不安 be scared, be upset |

◎ 听说公司要裁人，他不由得心里发毛。◎ 听说考试又没及格，麦克心里发了毛。

| 5 | 结结巴巴 | jiējiebābā | 【形】 | （说话）不连贯 stutter |

◎ 他的汉语（说得）结结巴巴的，一点儿都不流利。

◎ 他这个人说话总是结结巴巴的，所以别人给他起了个外号叫"结巴"。

| 6 | 困惑 | kùnhuò | 【形】 | 不理解，不肯定 feel puzzled |

感到很困惑

| 7 | 莫名其妙 | mò míng qí miào | | 事情很奇怪，让人难以理解 be unable to make head or tail of something, feel confused |

◎ 他的话让我（觉得）莫名其妙。

| 8 | *居然[2] | jūrán | 【副】 | 没想到，表示惊讶 unexpectedly |

◎ 他在北京住了三年，居然没去过天安门。

| 9 | *连忙 | liánmáng | 【副】 | 马上 hurriedly, hastily |

◎ 听说明天有听写，他连忙准备。

| 10 | 放弃 | fàngqì | 【动】 | 由于某种原因丢掉或不再做某事 to give up |

◎ 由于经济方面的原因，他不得不放弃了出国留学的计划。

◎ 别放弃！坚持下去，一定会成功。

| 11 | 目瞪口呆 | mù dèng kǒu dāi | | 非常吃惊，瞪着眼睛说不出话来 astonished, dumbfounded |

◎ 看着电视上飞机撞向大楼的情景，全世界的人都目瞪口呆。

---

①用斜线"/"隔开的斜体字，表示斜体字部分可以互换成不同的句子。

②如果生词前标有"*"，说明它也是这一课的语言点。

12	好奇	hàoqí	【形】	对还不了解的新鲜事物有兴趣 curious

◎ 小孩子对什么都好奇。

13	*干脆	gāncuì	【形】	痛快，不麻烦 straightforward, clear-cut

◎ 小王办事很干脆。

			【副】	索性 simply, directly, bluntly

◎ 电话里说不清，干脆去一趟。

14	拼写	pīnxiě	【动】	用字母书写 spelling

15	疗养院	liáoyǎngyuàn	【名】	convalescent hospital

16	纳闷儿	nà mènr	【动】	觉得奇怪，多用于口语 to feel puzzled

觉得很纳闷儿　纳了半天闷儿

17	康乃馨	kāngnǎixīn	【名】	carnation

一朵康乃馨　一束康乃馨

18	别	bié	【动】	用别针等把一样东西固定在纸、布等东西上 to pin

◎ 她胸前别着一朵花儿。

19	有份儿	yǒu fènr		应该得到或承担其中的一部分（口语）to have a share

◎ 这些礼物人人都有份儿。

20	愣	lèng	【动】	因为惊讶而发呆 to stop in one's tracks, to be dumbfounded

◎ 听了我的话，他愣住了 / 了一下。

21	概念	gàiniàn	【名】	concept

◎ 爱情和婚姻是两个不同的概念。

22	怀孕	huái yùn		to be pregnant

◎ 她怀孕五个月了。◎ 她怀过两次孕。

23	警告	jǐnggào	【动】	提醒注意 to warn, to caution

◎ 政府警告国民不要到战区旅行。

24	超声波	chāoshēngbō	【名】	ultrasonic wave

做超声波检查

25	屏幕	píngmù	【名】	screen

电视屏幕　电脑屏幕

26	婴儿	yīng'ér	【名】	非常小的孩子 baby, infant

| 27 | 不约而同 | bù yuē ér tóng | 事先没有商量而彼此行动相同 take the same action or view without prior consultation |

◎ 她一讲完，大家都不约而同地鼓起掌来。

| 28 | 惊讶 | jīngyà　【形】 | 感到很意外 surprise |

◎ 他这么一个不爱运动的人居然跑了第一名，真让人感到惊讶。

| 29 | 费尽心机 | fèi jìn xīnjī | 用尽了心思计划一件事 rack one's brains in scheming |

◎ 他费尽心机，终于得到了一个提职的机会。

| 30 | 啼笑皆非 | tí xiào jiē fēi | （让人）又生气又好笑 not know whether to laugh or cry |

◎ 这件事真令人啼笑皆非。

◉ 专名

1.	曼哈顿	Mànhādùn	（Manhattan）美国纽约中心地区。
2.	荷西	Héxī	（José）西班牙语国家常用男子名。
3.	玛丽亚	Mǎlìyà	（Maria）西班牙语国家常用女子名。
4.	汉唐	Hàn-Táng	汉（前206—220）、唐（618—907），中国两个重要的朝代。

词语辨析

愣　目瞪口呆　困惑　纳闷儿　莫名其妙

　　这些词语都可以表示不理解、惊奇等感受，但它们在词性、语气程度、语体等方面有所不同。

　　"愣"是动词，主要表示碰到意想不到的情况时，人突然发呆的短暂反应。常用的搭配是："愣了一下儿，愣住了"等，较多出现在口语中，程度较轻。

　　"目瞪口呆"是一个成语，也表示碰到意想不到的情况时，人突然发呆的反应，但是它的程度比"愣"要强烈得多，因此不能说"目瞪口呆了一下儿"。

"困惑"和"纳闷儿"都表示感到奇怪。但是"困惑"是书面语，"纳闷儿"非常口语化，因此我们常常说"令人困惑"、"叫人纳闷儿"。

"莫名其妙"是一个成语，也有"纳闷儿"的意思，但是这个词语隐含着一点抱怨的语气，所以可以直接用于抱怨不可理解的情况。如："这件事和我一点儿关系都没有，他却让我道歉，真是莫名其妙！"

 词语练习

一　根据拼音写出汉字，然后把它们填在合适的句子里：

> bào dào　fā máo　huái yùn　liáoyǎngyuàn　zāo

1. 我们是开学（报到）的时候认识的。
2. 去年夏天，我因为健康的原因，在一个山区（疗养院）待了很长时间。
3. 因为没有准备，听到老师要我回答问题，我不由得心里（发毛）。
4. 一（怀孕），她就给孩子起好了名字。
5. 他很喜欢讲笑话，可是讲的水平却很（糟），常常他自己笑起来，别人却莫名其妙。

> jǐnggào　jiējiebābā　hàoqí　fàngqì　gàiniàn

6. 你不要对别人的私事那么（好奇）！
7. 他的汉语说得（结结巴巴）的，一点儿都不流利。
8. 裁判员向犯规球员发出了黄牌（警告）。
9. 减了几个月的肥，一点儿效果都没有，你说我是不是应该（放弃）？
10. 在我看来，成功和幸福是两个不同的（概念）

二　把下面词语填在最合适的句子中：

> 困惑　纳闷儿　目瞪口呆　莫名其妙　愣

1. 看着电视屏幕上飞机撞向大楼的情景，全世界的人都（目瞪口呆）。

2. 大学入学考试规则不断变化，令很多考生和家长感到非常（纳闷）。

3. 他回头看到是我，（莫其妙）了一下，然后惊喜地问："你是什么时候来北京的？"
   moming qi miao

4. 他没能通过考试，却怪我不帮他，真是（困惑）！

5. 他俩突然取消了婚礼，大家都觉得挺（慌）的。

三 根据下面的句子写出一个成语或四字词语，然后用这个词语造一个句子：

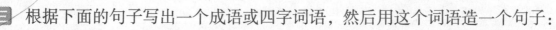

1. 不知道是怎么回事，觉得很奇怪。（moming qi miao）莫名其妙

2. 说话不流利，常常有停顿。（结巴巴）

3. 让人哭笑不得。（hixiaojidgi）哭笑

4. 事先没有商量，却同时做一件事。（buyue ar tong）不约而同

5. 花很多心思。（feijin）xinji

四 把第三题的词语填在下面合适的句子里：

1. 昨天上课，他迟到了半个小时，而且刚坐下就对老师说，他忘记带课本了，得再回去拿一趟，真令人（　　　）。

2. 虽然上了三个月的口语强化班，可是他说起英文来还是（　　　）的。

3. 好几天了，他见了我理也不理，真让人（　　　）。

4. 他（　　　），终于得到一个提职的机会。

5. 说到去度假，我们（　　　）地想到了丽江。

五 在下面句子中填上课文中出现的合适的单音节动词：

1. 我的名字是我妈妈给我（起取）的。

2. 妈妈把孩子紧紧地（bao）在怀里。抱搂

3. 她把花给我（别戴）在胸前。

4. 女朋友突然提出分手，他一下子（慌）住了。呆

六 查字典，看看下面词语和其中的黑体字是什么意思，然后再写出两个由这个黑体字组成的词语：

疑**惑**　困**惑**　　　＿＿＿＿＿＿　　　＿＿＿＿＿＿

发毛　**发**烧　　　＿＿＿＿＿＿　　　＿＿＿＿＿＿

放**弃** 舍**弃** _____ _____

惊讶 **惊**奇 _____ _____

警告 **警**报 _____ _____

语言点 •

1 是……V 的

● 这麻烦是十年前开始的。

　　用来说明一件已经发生的事情的时间、处所、方式等。例如：

① 我是去年三月来中国的。

② 这本书是在香港买的。

③ 他是跟旅行团一起去南美洲的。

2 居然

● 我叫徐幼华，到了他的嘴里，居然成了"YouHasu"！

　　"居然"，副词，说明事情是说话人没有想到的，表示一种惊讶的语气，后面多跟动词或形容词性成分。例如：

① 很多朋友抱起我的女儿，居然都不约而同地说："多可爱的胖小子！"

② 医生都说他的病没有希望了，想不到打了几个月太极拳，居然好了。

③ 居然有这样的事？我不相信。

3 V₁……，连忙 V₂

● 他大概也看出自己说得不对，连忙很有礼貌地问我："请问你的名字怎么念？"

　　在发生 V₁ 以后，马上做了 V₂。"连忙"是副词，用在后一个分句中。用于已经发生过的事情。例如：

① 听说明天有听写，他连忙准备。

② 看到我进来，孩子们连忙坐好。

4　并+否定

● 麻烦并没有到此结束。

"并+否定词（不/没有）"加强否定的语气，用来否定某种看法、说明真实情况。常用格式为：

　　a. 并不+形容词或表示心理状态的动词

　　b. 并没有+一般动词

例如：

① A：上海的东西非常便宜。

　　B：我最近刚从上海回来，那儿的东西并不便宜。

② A：你的法语这么好，一定在法国待过很长时间吧？

　　B：其实我并没有去过法国。

5　干脆

● 好奇的会叫你再教他一遍，怕麻烦的干脆就叫我"你小姐"。

干脆，形容词，可以描写一种办事风格或人的性格，表示痛快、果断、不让人觉得麻烦。例如：

小王办事很干脆，从来不拖。

另外，"干脆"也可以作副词，引出一种"简单、不麻烦"的解决问题的方法，这时"干脆"后面是动词性结构或小句（这是本文中"干脆"的用法）。例如：

① 这辆自行车太破了，我看干脆买辆新的吧。

② 孩子哭闹的时候，我干脆不理他。

③ 电话里说不清，干脆自己去一趟。

6　不是 A 就是 B

● 南美洲来的不是荷西，就是玛丽亚。

A、B 为同类的动词、名词或小句，表示可能是 A，也可能是 B，两项之中必有一项是事实，说话人还不能确定是哪一项。例如：

① 最近不是刮风就是下雨，所以一直没有出去玩儿。

② 听他的口音，不是山西人就是内蒙古人。

③ 不是你去，就是我去，反正我们得去一个人。

语言点练习

一 用所给词语完成对话或句子：

1. A：你是什么时候开始学汉语的？

   B：我是从14岁起开始的。（是……V的）

2. A：你的中国名字很好听。

   B：我的中国名字是我汉语老师给我的。（是……V的）

3. 得知妈妈生病的消息，连忙去医院。（连忙）

4. 听到孩子的哭声，妈妈连忙拥抱孩子（连忙）

5. 在学校时，他们的关系并不好，居然在外面开的很好。（居然）

6. 他在美国待了三年，居然他不会说英语（居然）

7. A：你的法语这么好，一定去过法国吧？

   B：_____。（并+否定）

8. A：听说那个地方很落后，是吗？

   B：_____。（并+否定）

9. A：马上就要上课了，我们中午吃什么呢？

   B：我们没吃饭干脆学习。（干脆）

10. A：我的孩子总是哭闹，真不知道该怎么办。

    B：你干脆去看医生。（干脆）

11. A：你知道王芳是什么地方的人吗？

    B：不是美国人就是加拿大。（不是……就是……）

12. A：你每个星期天都做些什么？

    B：不是学习就是看书。（不是……就是……）

二 用本课重要的语言点造句：

是……V的

连忙

居然

并+否定

干脆

不是……就是……

综合练习

一　读下面课文中的句子，注意黑体字的使用，并试着讨论这些词的用法：

1. 一天，我正在病房里，忽然听到有人叫着"陈，陈"从远处**走过来**。
2. 想到这里，我自己也忍不住**笑了起来**。
3. 国内的老人**念不来**英文。
4. 超声波**看出来**是女婴。
5. 英文名一直还没**想出来**。
6. 我把名字念了两遍，**听起来**不错。
7. 中文名字叫汉云，意思是汉唐**飘过来**的一片云。

二　选择填空：

> 过来　　起来　　出来　　不来

1. 音乐一响，姑娘们就唱了（起来）。
2. 你今天看（起来）有点儿疲倦，是不是昨天没有休息好？
3. 这么难的名字，小孩子写（不来）。
4. 我们是老同学，难道你听不（出来）我的声音吗？
5. 我们研究了一个晚上，也想不（出来）一个有效的办法。
6. 看到妈妈，小女孩儿马上跑了（过来）。

三　根据课文回答下面的问题，并选择其中的一个，把你回答的内容写成一小段话：

1. 作者的中文名字叫什么？她的名字在开学报到时碰到了什么麻烦？
2. 作者的女儿叫什么？回到中国后，这个名字出现了什么问题？

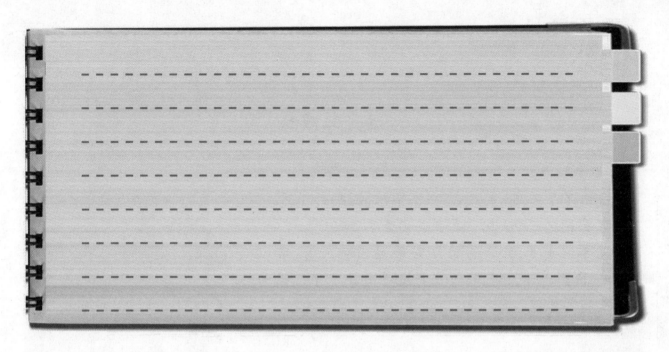

四 说说你的中国名字是怎么来的，讲讲中国人听到你的名字时的反应。请尽量使用本课学过的词语。

五 你碰到过或听说过和名字有关系的有趣的事情吗？ 请讲给大家听，尽量使用本课学过的词语。

记得　那时　困惑　结结巴巴　莫名其妙　连忙

只好　终于　哈哈大笑　纳闷儿　愣　惊讶

阅读 副课文

姓贾的烦恼

我叫丫丫（Yāya），本是一个快乐的妞妞（niūniu），可为了给我起一个大名，却让爸妈费尽心机！

妞妞：小女孩儿。

这都怪妈妈嫁给爸爸，爸爸姓贾（Jiǎ），所以我从一出生，不，还没有出生就被迫姓贾了。因为"贾"和"真假"的"假"同音，姓贾的烦恼真不少！

先说说出生以前。

从妈妈发现她怀孕的那天起，就开始为我的名字伤脑筋。工作空闲，她常和同事们研究我的大名，办公室里的人纷纷出主意。你看，这位阿姨建议叫我"宝宝"，对啊，我是爸爸妈妈的小宝贝嘛，可是你听听，"假宝宝"！不是真宝贝呀，气人。那位叔叔说还是叫我"仁义（rényì）"吧，"什么？贾仁义？"办公室里的人不约而同地喊起来："那不就成了假仁假义（jiǎ rén jiǎ yì）了吗？"不用说，这些名字都因为我的姓变得让人啼笑皆非，最后不得不放弃了。

仁义：仁爱和正义

假仁假义：表面上很关心别人的样子，其实不是真的。

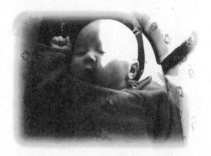

这可把妈妈愁坏了，常常怪爸爸怎么姓什么不好偏偏要姓贾，取个名字这么难，叫什么都是假的。于是妈妈决定，干脆先取个小名吧，大名等我出生以后再说，于是我的小名就叫作"丫丫"了。取这个名字关键的原因就是，这个名字和"贾"组合起来不会产生什么歧义（qíyì）。

歧义：其他的意义。

我在妈妈肚子里面游呀，长啊，终于有一天妈妈拍拍里面焦急（jiāojí）等待的我说："丫丫，我的宝

焦急：非常着急。

贝，我们要见面了。"后来又过了好一阵子，眼前一亮，我就看到了外面的世界。可还没等我体会完兴奋新鲜的第一感觉，爸爸妈妈又开始替我取大名了，因为没有大名连出生证都不能办呢！我满月前必须上报户口，时间紧迫（jǐnpò）啊。

妈妈希望我能够快乐，可是她不能叫我"畅（chàng）"，因为那样我会变成"假唱"，太不光彩（guāngcǎi）了；妈妈希望我能成为夜晚天空中最亮的一颗星，却不能叫我"星星"，那样我就成了"假惺惺（jiǎxīngxīng）"。妈妈有个心愿，就是让我的名字里面有她的姓"庆"，我又属马，妈妈希望我能够长成一匹千里马，驰骋（chíchěng）天下，那就叫"庆驰"？妈妈的朋友一听："什么什么？'假请吃'？这怎么能行？"看到了吧，你说姓贾烦恼不烦恼？

突然有一天，爸爸拿回一本书，叫《起名学》。爸爸妈妈每天都认真地抱着它读。根据金木水火土五行（wǔxíng）算来，据说我命中缺水，那就找水字旁的字吧。

于是爸爸找来《辞海》、《辞源》，翻遍了所有水字旁的字，经过一番分析论证，终于选出了"源"字，"源"的意思是水流开始的地方，我的命中永不缺水，而且"源"字右边是"草原"的"原"，这就给了我这匹千里马驰骋的空间，再说"贾庆源"也似乎不会引起歧义，这样我的名字就定下来了。

虽然姓贾的烦恼真不少，但自从我的名字确定以后，我就不再管那么多了，现在我胃口好，身体好，是个真正的快乐宝宝！一点儿也不假！

紧迫：剩余的时间很少。
光彩：有面子。
假惺惺：假装很关心别人的样子。
驰骋：骑马奔跑。

五行：金、木、水、火、土，中国古人认为这五种物质构成世界万物，有人用五行推算人的命运。

副课文练习

一　根据文章，说说以下名字加上"贾"以后意思发生了什么变化：

　　1."宝宝"，本来意思是＿＿＿＿＿＿＿＿＿＿＿，加上"贾"以后变成了_____，意思是_____；

　　2. "仁义"，本来意思是_____，加上"贾"以后变
成了_____，意思是_____；

　　3. "畅"，本来意思是_____，加上"贾"以后变成
了_____，意思是_____；

　　4. "星星"，本来意思是_____，加上"贾"以后变
成了_____，意思是_____；

　　5. "庆驰"，本来意思是_____，加上"贾"以后变
成了_____，意思是_____。

二　根据文章，填写下面一段话：

　　从文章中可以知道，中国孩子一般有两个名字：_____名和_____名。
文章中的小女孩儿，小名叫_____。因为她姓"___"，这个姓和汉字
"___"同音，所以父母为给她起大名费尽心机，最后决定叫_____，起这
个名字是因为名字中第一个字是_____，第二个字_____
_____，再说，这个名字和她的姓放在一起，不会__
_____。

三　分组讨论：

　　1. 通过这篇文章，你觉得中国人给孩子起名字时会考虑哪些因素？
　　2. 在你们国家，父母给孩子起名字的情形是怎样的？
　　3. 你还能再想出几个让人啼笑皆非的名字吗？

朋友四型

预习

这一课谈的是有关朋友的话题，请你预习课文，并回答下面的问题：

1. 作者认为朋友重要吗？为什么？

2. 作者认为朋友分为哪几种类型？

3. 下面这些词语或句子分别是描写课文中哪一型的朋友的？请你连线：

第一型	极富娱乐价值
	趣味太窄
	缺乏幽默感
第二型	消息最灵通
	可遇而不可求
	最会说话
第三型	一举两得
	自以为又高级又有趣
	只管自己发球
第四型	和他的友谊好像吃药
	好像新鲜的水果

4. 你认为这篇文章是什么风格的？（可以多选）

    A 严肃的   B 轻松的   C 正式的   D 幽默的

朋友四型

一个人命里不一定有太太或丈夫，但绝对不可能没有朋友。就是荒岛上的鲁滨逊，也需要一个"礼拜五"。一个人不能选择父母，但是除了鲁滨逊之外，每个人都可以选择自己的朋友。照说选来的东西，应该符合自己的理想才对，但是事实又不尽然。你选别人，别人也选你。被选，是一种荣誉，但不一定是一件乐事。来按你门铃的人很多，哪儿能人人都令你"喜出望外"呢？一般说来，按铃的人可以分为下列四型。

第一型，高级而有趣。这种朋友理想是理想，只是可遇而不可求。世界上高级的人很多，有趣的人也很多，又高级又有趣的人却少之又少。高级的人使人尊敬，有趣的人使人欢喜，又高级又有趣的人，好像新鲜的水果，不但味道甘美，而且营养丰富，可以说是一举两得。朋友是自己的镜子，一个人有了这种朋友，自己的境界也不会太低。

第二型，高级而无趣。这种朋友，有的知识丰富，有的品德高尚，有的呢，"品学兼优"，像一个模范生，可惜美中不足，都缺乏那么一点儿幽默感，活泼不起来。跟他交谈，既不像打球那样，你来我往，有问有答，也不像滚雪球那样，把一个有趣的话题越滚越大。精力过人的一类，只管自己发球，不管你接得住接不住；而消极的一类则相反，难得接你一球两球。不管对手是积极还是消极，反正该你捡球，你不捡球，这场球就别想打下去。这种朋友的遗憾，在于趣味太窄，所以跟你的"接触面"广不起来。天下有那多话题，他花两个小时从城南到城北来找你的目的，居然只为讨论"死亡在法国现代小说中的特殊意义"！和这种朋友聊一晚上天，疲劳是可以想见的。这样的友谊有点儿像吃药，太苦了一点儿。

第三型，低级而有趣。这种朋友极富娱乐价值，说笑话，他最黄；讲故事，他最像；关系，他最广；消息，他最灵通；好去处，他都去过；坏主意，他都打过。世界上任何话题他都接得下

去，至于怎么接，就不用你操心了。他的全部学问，就在于不让外行人听出来他没有学问。至于内行人，世界上有多少内行人呢？所以他的马脚在许多客厅和餐厅里跑来跑去，并不大露出来。这种人最会说话，餐桌上有了他，一定气氛热烈，大家喝进去的美酒还不如听进去的美言那么美味可口。会议上有了他，就是再空洞的会议也会显得主题明确，内容充实，没有白开。如果说，第二型的朋友拥有世界上全部的学问，独缺常识，这一型的朋友则恰恰相反，拥有世界上全部的常识，独缺学问。照说低级的人而有趣味，难道不是低级趣味？你竟能与他同乐，难道不是也有点儿低级趣味吗？不过人性是广阔的，谁能保证自己一点儿都没有此种不良的成分呢？如果要你做鲁滨逊，你会选第三型还是第二型的朋友做"礼拜五"呢？

第四型，低级而无趣。这种朋友，跟第一型的朋友一样少。这种人当然自有一套价值标准，不但不会承认自己低级而无趣，恐怕还自以为又高级又有趣呢。然则，余不欲与之同乐矣。[注]

（作者：余光中，有删改）

◉ 注解

然则，余不欲与之同乐矣。

意思是："可是，我却不愿意和这种人一起聊天娱乐。"这是古代汉语的说法，用在这里有幽默风趣的意味。

1 命	mìng	【名】	命运，天命，生命 destiny, lot, fate, life

◎ 她的命很好 / 苦。◎ 我觉得和她结婚是命中注定的。

◎ 这位医生救过我一命。

2 绝对	juéduì	【形、副】	无条件的，不受任何限制的 absolute

◎ 他说他从来没有说过谎，我觉得他的话太绝对了。

◎ 世界上到底有没有绝对的真理？◎ 我绝对相信你的话。

3	荒岛	huāngdǎo	【名】	没有人的岛 desolate island

◎ 这是一座荒岛。

4	符合	fúhé	【动】	和标准、习惯、要求等一致 to accord with, to tally with

◎ 我们看了你的简历，认为你比较符合我们的要求。

◎ 这些产品完全符合质量标准。 ◎ 你这么说不太符合汉语的语法习惯。

5	不尽然	bú jìnrán		不完全是这样 not completely or fully this way

◎ 你以为他说的都是真话，恐怕不尽然吧。

6	荣誉	róngyù	【名】	因为某种成就而得到很好的名声 honor, glory

获得很高的荣誉

7	喜出望外	xǐ chū wàng wài		事情的结果比自己期望的还要好 be overjoyed, happy beyond expectations

◎ 儿子平时学习成绩不太好，这次居然考上了名牌大学，让她喜出望外。

8	可遇不可求	kě yù bù kě qiú		不容易专门找到，只能偶然碰到 sth. that can only be found by accident, and not through seeking

◎ 对我来说，这是一个可遇不可求的机会。

9	少之又少	shǎo zhī yòu shǎo		非常少 extremely few

◎ 张教授对学生要求很严，能得到他的表扬的人少之又少。

10	甘美	gānměi	【形】	味道甜美，书面语 be sweet and refreshing

◎ 这种水果的味道非常甘美。

11	一举两得	yì jǔ liǎng dé		做一件事得到两方面的好处 kill two birds with one stone

◎ 这次去上海出差，顺便回了趟家，真是一举两得。

12	境界	jìngjiè	【名】	事物所达到的程度或呈现出的情况 extent reached, state

◎ 他的思想境界非常高，总是在为别人考虑。

◎ 他的表演达到了相当高的艺术境界。

13	高尚	gāoshàng	【形】	道德品质很高，很少考虑自己的利益 noble(seldom think about oneself)

◎ 他是一个品德高尚的人，心里总想着别人，从来不考虑自己。

14	品学兼优	pǐn xué jiān yōu		品德和学问都很好 be excellent in character and learning

◎ 他是一个品学兼优的学生。

| 15 | 模范 | mófàn | 【名】 | 学习、工作中值得别人学习的优秀人物 model ideal |

◎ 他是一个全国劳动模范。

| | | | 【形】 | 值得学习的 model |

◎ 你真是一个模范丈夫。

| 16 | 美中不足 | měi zhōng bù zú | | 在美好的事物中存在缺点 the only drawback |

◎ 这套房子各方面我都很满意，美中不足的是离我工作的地方太远了。

| 17 | 缺乏 | quēfá | 【动】 | 不足，缺少 to be short of, to lack |

◎ 这个地区的资源 / 人才 / 资金非常缺乏。

◎ 他这个人什么都好，就是缺乏耐心 / 自信 / 经验。

| 18 | 幽默 | yōumò | 【形】 | 风趣而又意味深长 humorous; humor |

◎ 老王这个人说话很幽默。

◎ 他这个人缺乏幽默感，你别跟他开玩笑。

| 19 | 活泼 | huópo | 【形】 | 人很开朗、爱动爱笑，或事物轻松有趣 lively, vivacious, vivid |

◎ 这个小女孩儿性格非常活泼。

◎ 李老师的课生动活泼，学生非常喜欢上。

| 20 | 滚雪球 | gǔn xuěqiú | | 雪球在雪中滚动，越滚越大。比喻连续不断地增长 snowball |

◎ 困难如果不及时解决，就会像滚雪球一样越来越大。

| 21 | 话题 | huàtí | 【名】 | 谈话的题目 topic |

◎ 让我们换个轻松的话题吧。

| 22 | 管 | guǎn | 【动】 | 顾及，考虑到 to mind, to take care of |

◎ 一个人不能只管自己挣钱，还需回报社会。

◎ 今天晚上我不管你了，你自己做饭吃吧。

| 23 | 难得 | nándé | 【形】 | 少有，不经常，不容易得到 rare |

◎ 春天下这么大的雪，真难得。◎ 他是个难得的好人。

◎ 虽然我们都在广州，但因为工作忙，难得见一面。

| 24 | 积极 | jī | 【形】 | 努力进取的，正面的 active, energetic, positive |

◎ 如果你在工作中更积极一点儿，一定会得到提职的机会。

◎ 我认为我们每个人都应该有积极的生活态度。◎ 反义词：消极

25	趣味	qùwèi	【名】	使人感到愉快，能引起兴趣的特性或指人的爱好（多用来进行评价）interest, taste

◎ 我觉得绘画中有无穷的趣味。◎ 他这个人的趣味很高雅 / 有点儿低级。

26	窄	zhǎi	【形】	不宽 narrow

◎ 这里的道路很窄。◎ 他的知识面 / 心胸 / 社交范围很窄。

27	黄	huáng	【形】	指书刊、电影、录像等有色情的描写 pornography

◎ 这个网站有点儿黄，上面有一些黄色笑话 / 故事 / 图片。

28	灵通	língtōng	【形】	能迅速得到最新消息 having quick access to information, well-informed

◎ 他是个消息灵通人士，什么消息都能在第一时间得到。

29	操心	cāo xīn		担心、花心思 to worry about, to take pains

◎ 他儿子真让她操心。◎ 这些年我为你操了多少心，你知道不知道？

30	外行	wàiháng	【名】	对某事不懂的人 unprofessional person

◎ 在电脑方面，我是个外行。

			【形】	非专业性的 unprofessional

◎ 这种问题，外行人根本看不出来。◎ 反义词：内行

31	露马脚	lòu mǎjiǎo		不小心被别人发现了破绽 to give oneself away

◎ 他说案件发生时他正在电影院看电影，可是当警察问他电影的内容时，他露出了马脚。

32	气氛	qìfēn	【名】	特定环境中给人的感觉或情调 atmosphere, air

◎ 会谈是在亲切友好的 / 紧张的气氛中进行的。

◎ 讨论会的气氛始终很热烈。

33	空洞	kōngdòng	【形】	缺乏实质内容 empty, hollow

空洞的会议　内容很空洞

34	充实	chōngshí	【形】	内容充足，不空洞 substantial

充实的生活　内容很充实

35	恰恰	qiàqià	【副】	正好 exactly, just

◎ 我和你的看法恰恰相反。

36	承认	chéngrèn	【动】	对事实表示认可 to admit, to acknowledge

◎ 如果你承认错误，我会原谅你的。◎ 他已经承认那件事是他干的。

◉ 专名

1. 鲁滨逊	Lǔbīnxùn	英国作家丹尼尔·笛福（Daniel Defoe）的作品《鲁滨逊漂流记》（Robinson Crusoe）中的主人公。
2. 礼拜五	Lǐbàiwǔ	《鲁滨逊漂流记》（Robinson Crusoe）中主人公鲁滨逊在荒岛上碰到的野人，后来变成了他的仆人和朋友。

词语辨析

1. 高尚　高贵

两个词语都可以表示道德品质高，但是"高尚"的语义重点是无私，不考虑个人利益，如："他是一个高尚的人，无论做什么事情，总是先考虑别人。"而"高贵"更多侧重于社会地位优越，风度或出身显贵，如："她以为穿上名牌大衣，就可以显得高贵一点儿。"

2. 缺乏　缺少

两个词都表示"缺某事物"，但是"缺乏"有形容词的用法，可以说"能源很缺乏"。"缺少"是动词，常用于"缺少能源"这种动宾结构中。另外，"缺少"可用于具体事物，如："教室里缺少三把椅子。"这时不能用"缺乏"。缺乏一般用于较抽象的事物。如："缺乏经验"。这两个词语在口语中，都可用"缺"来代替。

3. 趣味　兴趣

两个词都有"有趣"的意味，但是"趣味"说的是"某事物有趣"，如："练习太极拳很有趣味。"而"兴趣"说的是"人对事物有喜爱和进一步了解的愿望"，常用在"对……感兴趣／有兴趣"的结构中。另外"趣味"还有"品味"的含义，有"趣味高雅（／低俗）""低级趣味"等用法，而"兴趣"没有这种用法。

词语练习

 根据拼音写出汉字，然后把它们填在合适的句子里：

荣誉　缺乏　命　窄　操心　模范

róngyù　quēfá　mìng　zhǎi　cāo xīn　mófàn

1. 丈夫去世以后，她常常抱怨自己的（命）苦。

2. 在他看来，（荣誉）甚至比生命更重要。

3. 由于（缺乏）资金，工程不得不中途停了下来。

4. 虽然他现在是个（模范）学生，可是上小学时，他常常逃学，让父母非常（操心）。

5. 他的知识面那么（窄），我看他很难通过公司的面试。

外行　符合　境界　幽默　不尽然　积极　承认

wàiháng　fúhé　jìngjiè　yōumò　bú jìnrán　jījí　chéngrèn

6. 中国的园林通过山水亭台的配合，在造园艺术上达到了很高的（境界）。

7. 这次检查的产品有一半不（符合）质量要求。

8. 他是一个很（积极）的人，和他聊天你会感到很轻松。

9. 不少学者认为，孔子的思想是（积极）的，而老子的思想则是消极的，其实事实并（不尽然）。

10. 我（承认），对于建筑我是（外行），但这么严重的质量问题，我还是能看出来的。

 把下面词语填在最合适的句子中：

高尚　高贵　缺乏　缺少　趣味　兴趣

1. 他是一个品德（高尚）的人，无论做什么事情，从来不考虑个人利益。

2. 穿上昂贵的动物皮毛，并不意味着你很（高贵）。

3. 我们已经买了一台打印机，可是办公室里还（缺少）一台复印机。

4. 因为刚参加工作，我的经验非常（缺乏）。

5. 由于受到家庭的影响，我从小就对京剧很感（兴趣）。

6. 在饭桌上讲黄色笑话，真是低级（趣味）！

三 把下面词语中合适的搭配连线，然后用这个搭配造一个句子：

营养 ——— 高尚　　　1. 我的性格活泼。
品德 ——— 活泼　　　2. 我的朋友消息灵通。
性格 ——— 灵通　　　3. 苹果是营养丰富的水果。
消息 ——— 丰富　　　4. 我的老师品德高尚。

味道 ——— 热烈　　　1. 这个水果味道甘美。
知识 ——— 空洞　　　2. 我的班气氛热烈。
气氛 ——— 丰富　　　3. 这本书内容空洞。
内容 ——— 甘美　　　4. 我的老师知识丰富。

四 在下面的名词前边填上合适的动词，然后各造一个句子：

（堆）雪球　　　　（编）故事　　　　（按）门铃

（出）坏主意　　　（　）马脚

五 根据下面的句子写出一个成语，然后用这个成语造一个句子：

1. 事情的结果比自己想的还要好。（喜出望外） 一举两得

2. 不容易专门找到，只能偶然碰到。（可遇不可求） 品学兼优

3. 品德和学问都很优秀。（品学兼优） 喜出望外

4. 美好的事物中存在的缺点。（美中不足） 可遇

5. 做一件事情可以得到两方面的好处。（一举两得）

六 把第五题的成语填在下面合适的句子里：

1. 今年暑假我为一个在云南举办的英语夏令营打工，既旅游了一趟，又赚了一笔钱，真是（可遇不可求）。一举两得

2. 从小学到大学，他一直是个（品学兼优）的模范生。

3. 这次考试本来我觉得考得不太理想，没想到竟得了90分，真让我（喜出望外）

4. 在我看来，人生的知己是（可遇不可求）的。

5. 姐姐新买的房子非常大，周围的环境也很不错，（美中不足）的是离市区太远，交通不太方便。

美中不足

七　查字典，看看下面词语和其中的黑体字是什么意思，然后再写出两个由这个黑体字组成的词语：

外**行**　内**行**　　＿＿＿＿＿＿＿　　＿＿＿＿＿＿＿

命运　生**命**　　＿＿＿＿＿＿＿　　＿＿＿＿＿＿＿

趣**味**　乏**味**　　＿＿＿＿＿＿＿　　＿＿＿＿＿＿＿

灵通　**灵**敏　　＿＿＿＿＿＿＿　　＿＿＿＿＿＿＿

荒岛　**荒**凉　　＿＿＿＿＿＿＿　　＿＿＿＿＿＿＿

语言点

1　照说 A，但是 / 可是 / 不过 B

● 照说选来的东西，应该符合自己的理想才对，但是事实又不尽然。

　　"照说"是"照理说"的意思，这个句型表示"按照一般的常理来说，应该得出一个结论 A，但是实际的情况 B 和这个结论有所不同"。A 的部分常常有"应该"或"该"等词语，B 的前面常有表示转折的"但是""可是""不过"等连词。这个句型比较口语化。例如：

　① 照说三月天气应该暖和了，但是最近气温还在零下。

　② 照说他六点出发，现在也该到了，可是还没见他的人影。

　③ 照说他是个很温和的人，为什么这次会发这么大的火呢？

2　一般说来

● 一般说来，按铃的人可以分为下列四型。

　　这个短语用来说明通常的情况，也可以说"一般来说"。例如：

　① 一般说来，中国人的姓名由两个字或三个字组成。

　② 一般说来，人在年轻的时候，心态总是比较积极的。

3 A……，（而）B 则……

● 精力过人的一类，只管自己发球，不管你接得住接不住；而消极的一类则相反，难得接你一球两球。

　　这个结构表示前后对比，有轻微的转折语气。这里"则"是副词，用在第二个分句中，分句开头有时有连词"而"配合使用。例如：

① 大学毕业后，很多同学都进了大企业工作，而他则留校当了老师。

② 中国国土广阔，人们的饮食习惯有很大的不同，一般说来，北方人喜欢吃面食，而南方人则喜欢吃米饭。

4 不管……，反正……

● 不管对手是积极还是消极，反正该你捡球。

　　这个结构强调在任何情况下，都不改变结论或结果。"不管"后面常常跟"V不V"、"形容词＋不＋形容词"、"是 A 还是 B"或表示任指的疑问代词等。"反正"是副词，多用在主语的前边。例如：

① 不管别人来不来，反正你得来。

② 不管贵不贵，反正得在学校附近租房子。

③ 不管是英语还是法语，反正你要懂一门外语。

④ 发表演讲，不管用什么方法，反正开头一定要吸引听众。

5 在于

● 这种朋友的遗憾，在于趣味太窄。

　　"在于"，动词，前面常常是名词性短语，后面常常跟名词性成分或小句作宾语。说明事物的关键、根源和问题在什么地方。例如：

① 中国目前最大的问题在于人口太多。

② 我认为，东西方文化最大的不同在于思维方式不一样。

③ 堵车的根源在于道路设计不合理。

6 至于

● 世界上任何话题他都接得下去，至于怎么接，就不用你操心了。

　　介词"至于"用来引出另一个相关话题，多用在小句或句子开头，它后面的名词、动词等是说话人认为听话人可能关心的相关话题，后面有停顿。例如：

① 他的全部学问，就在不让外行人听出他没有学问。至于内行人，世界上有多少内行人呢？

② 熊是杂食动物，吃肉，也吃果实。至于熊猫，是完全素食的。

③ 下个月我们要去农村实习，至于哪一天去，现在还不确定。

语言点练习

一 用所给词语完成对话或句子：

1. 照说他是四川人，应该 ___喜欢辣的___，___但是他讨厌辣___。
（照说……但是……）

2. A：他的英语水平怎么样？
B：___照说___，_____。（照说……但是……）

3. A：上高级班后，你觉得你的汉语进步快吗？
B：_____，_____。（照说……但是……）

4. A：你们国家的人是怎么给孩子起名字的？
B：_____。（一般说来）

5. A：你觉得，朋友可以分成几种类型？
B：_____。（一般说来）

6. A：你觉得中国南方人和北方人有什么不同？
B：___南方人矮，北方人则高___。（A……，B则……）

7. A：你的家人喜欢怎么过周末？
B：___妈妈喜欢去___。（A……，B则……）

8. A：听说你们双方父母都不同意，你们还结婚吗？
B：_____。（不管……，反正……）

9. A：你觉得演讲比赛的时候应该怎么开头？
B：_____。（不管……，反正……）

10. A：你认为学好一门外语的关键是什么？
B：_____。（在于）

11. A：你认为世界上战争的根源是什么？
B：_____。（在于）

12. A：你认为中国人最大的特点是什么？

　　B：_____。（在于）

13. 我听说他知识很丰富，_____。（至于）

14. 天气预报说明天有雨，_____。（至于）

15. 我打算今年夏天出国旅游，_____。（至于）

二　用本课重要的语言点造句：

照说……但是…… 照说在北京 ~~会~~ 你可以用公共交通去每个地方，但是 很多人 jiāo tōng

一般说来 一般说来， ~~事~~ 北京是好玩儿。 喜欢开车

A……，B 则……

不管……，反正……

在于 最后怎么决定在于你。

至于 我喜欢开车 ~~或~~ 至于开很长的时间 不 不行。

综合练习 ·················

一　读下面课文中的句子，注意黑体字的使用：

1. 有的呢，"品学兼优"，像一个模范生，可惜美中不足，都缺乏那么一点儿幽默感，活泼**不起来**。

2. 你不捡球，这场球就别想打**下去**。

3. 这种朋友的遗憾，在于趣味太窄，所以跟你的"接触面"广**不起来**。

4. 世界上任何话题他都接得**下去**。

5. 他的全部学问，就在不让外行人听**出来**他没有学问。

6. 他的马脚在许多客厅和餐厅里跑来跑去，并不大露**出来**。

7. 大家喝**进去**的美酒还不如听**进去**的美言那么美味可口。

二　选择填空：

> 下去　　起来　　出来　　进去

1. 春节一过，天气就一天天暖和（　　　　）了。

2. 就是再难，我们的实验也要做（下去）。

3. 我警告了她好几次，可是她根本听不（进去）。

4. 超声波看（出来）我怀的是个女婴。

5. 从他结结巴巴的汉语，我听（出来）他是个外国人。

6. 面试没通过，李平一整天都高兴不（起来）。

7. 她的情绪一般不大会从脸上露（出来）。

三　根据课文，完成下面的段落，请尽量使用下面所给的词语：

绝对	下列	甘美	丰富	高尚	窄	热烈
空洞	充实	灵通	承认	幽默感	娱乐价值	露马脚
可遇而不可求		品学兼优		一举两得	美中不足	

一个人命里不一定有太太或丈夫，但＿＿＿＿＿＿＿。一般说来，
朋友可以分为＿＿＿＿＿＿。

第一型，高级而有趣。这种朋友，好像＿＿＿＿＿，不但
＿＿＿＿，而且＿＿＿＿＿＿，可以说是＿＿＿＿＿。

第二型，高级而无趣。这种朋友，有的知识＿＿＿＿＿，有的
品德＿＿＿＿＿，有的＿＿＿＿＿，像一个模范生，＿＿
＿＿的是，都缺乏＿＿＿＿＿，活泼不起来。这种朋友的遗憾，
在于＿＿＿＿，这样的友谊有点像＿＿＿＿＿。

第三型，低级而有趣。这种朋友极富＿＿＿＿＿，＿＿＿＿
＿，他最黄；＿＿＿＿，他最像；关系，他最＿＿＿＿；
消息，他最＿＿＿＿；好去处，＿＿＿＿＿；坏主意，
＿＿＿＿。世界上任何话题他都接得下去，很少露出＿＿＿＿。这种
人最会说话，餐桌上有了他，一定气氛＿＿＿＿，会议上有了他，
就是再＿＿＿＿的会议也会显得主题明确，内容＿＿＿＿。

第四型，低级而无趣。这种朋友，跟第一型的朋友一样少。这种人不
但＿＿＿＿＿，恐怕还自以为＿＿＿＿呢。

四　在课文里讲的四种朋友中，你最喜欢哪一种朋友？说说你的理由：

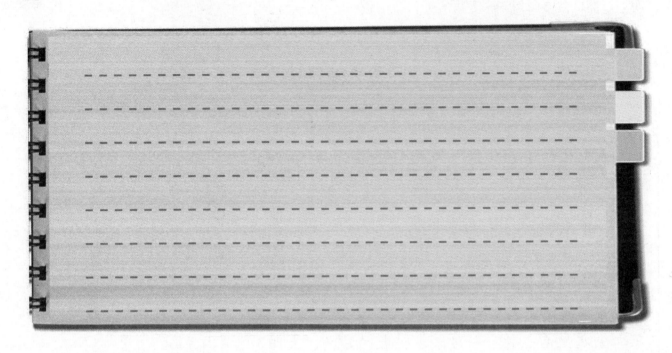

阅读 副课文

马先生其人

马先生的表，我想大概是一个装饰品（zhuāng shìpǐn）。不管约他开会还是吃饭，他都要迟到一个多钟头，他的表并不慢。

来重庆，他多半是住在白象街（Báixiàng Jiē）的作家书屋。不管有没有要说的，反正他都要谈到夜里两三点钟。如果不是别人都困得不出一声了，他还想不起来上床去。如果有人陪着他谈，他能一直坐到第二天夜里两点钟。一般来说，表、月亮、太阳，都不能让他注意到时间。

比如说吧，下午三点他要到观音岩（Guānyīnyán）去开会，到两点半他还毫无动静（háowú dòngjing）。"老兄，不是三点有会吗？该走了吧？"有人这样提醒他，他马上戴上帽子，提起那有茶碗口粗的木棒（mùbàng），向外走。"七点吃饭。早回来呀！"大家告诉他。他回答一声"一定回来"，就匆匆（cōngcōng）地走出去。

照说他该三步当作两步（sān bù dàngzuò liǎng bù）赶到观音岩，可是如果你到三点的时候出去，就会看见

装饰品：为了好看放在一个地方的东西。

白象街：地名。

观音岩：地名。

毫无动静：一点行动都没有。

木棒：这里指手杖。

匆匆：很着急的样子。

三步当作两步：很急地赶路。

马先生在门口与一位老太婆，或是两个小学生，聊天儿呢！就是不是这样，他在五点以前也不会走到观音岩。路上每遇到一位熟人，就要谈至少十分钟的话。如果遇上打架吵嘴的，他得过去劝，也许别人被劝开了，而他则与另一位劝架（quàn jià）的打了起来！遇上某处起火，他得帮着去救。有人追赶小偷，他必然得加入，非捉到不可。看见某种新东西，他得过去问问价钱，不管买与不买。看到电影海报（hǎibào），他连忙去借电话，问还有票没有……这样，他从白象街到观音岩，可以走一天，幸而（xìng'ér）他记得开会那件事，所以只走了两三个钟头。

到了开会的地方，就是大家已经散了会，他也得坐两个小时。他跟谁都谈得来，都谈得有趣，很亲切，很细腻（xìnì）。如果有人刚买一条绳子，他马上拿过来练习跳绳——五十岁了啊！

七点，他想起来回白象街吃饭这件事，回来的路上，又照样劝架，救人，追贼（zéi），问物价，打电话……至早，他在八点半左右走到目的地。满头大汗，三步当作两步走的。他走了进来，饭早已开过了。

所以，我们与友人定约会的时候，如果说随便什么时间都行，不管早晨还是晚上，反正我一天不出门，你什么时候来也可以，我们就说"马先生的时间吧"！

（选自老舍的《马宗融先生的时间观念》，有改动）

劝架：说服别人不争吵或打架。

海报：贴在外面的电影、戏剧等活动的广告。

幸而：好在。

细腻：这里能注意到每一个细节。

贼：小偷。

副课文练习

一　根据偏旁，将下面句子中画线的词语和相关事物连线，并结合上下文猜猜它们的意思：

词语　　　　　　　　　　　　　　　相关事物

1. 他马上戴上帽子，提起那有茶碗口粗的<u>木棒</u>。　　手

2. 如果有人刚买一条绳子，他马上拿过来练习<u>跳绳</u>。　　钱

3. 有人追赶小偷，他必然得加入，非捉到不可。　　织物

4. 回来的路上，又照样劝架，救人，追<u>贼</u>。　　木头

二　说说马先生去开会和回来的路上做了哪些事情，并根据文章，完成下面的语段：

　　下午三点马先生要到观音岩去开会，到两点半他还＿＿＿＿＿＿＿＿。有人提醒他，他马上＿＿＿＿＿＿＿＿＿＿＿＿＿＿。

　　照说他该＿＿＿＿＿＿＿＿＿＿＿＿＿＿＿＿＿，可是如果你到三点的时候出去，就会看见马先生＿＿＿＿＿＿＿＿＿＿＿＿＿＿＿＿！路上每遇到一位熟人，就要＿＿＿＿＿＿＿。如果遇上打架吵嘴的，他得＿＿＿＿＿＿＿；遇上某处起火，他得＿＿＿＿＿＿＿。有人追赶小偷，＿＿＿＿＿＿＿＿＿＿＿＿＿＿＿。看见某种新东西，他＿＿＿＿＿＿＿。看到电影海报，他＿＿＿＿＿＿＿＿＿＿＿＿＿＿。这样，他从白象街到观音岩可以走两三个钟头。

　　回来的路上，又照样＿＿＿＿＿＿，＿＿＿＿＿＿，＿＿＿＿＿＿，＿＿＿＿＿＿，＿＿＿＿＿＿……＿＿＿＿＿＿，他在八点半左右＿＿＿＿＿＿＿。他走了进来，饭早已开过了。

三　请你描述一次你遇到的路上不太顺利的经历：

　　那天，我要去＿＿＿＿＿＿＿＿，路上不太顺利。＿＿＿＿＿＿＿＿＿＿＿＿

＿＿＿＿＿＿＿＿＿＿＿＿＿＿＿＿＿＿＿＿＿＿＿＿＿＿＿＿＿＿＿＿＿＿＿＿

＿＿＿＿＿＿＿＿＿＿＿＿＿＿＿＿＿＿＿＿＿＿＿＿＿＿＿＿＿＿＿＿＿＿＿＿

＿＿＿＿＿＿＿＿＿＿＿＿＿＿＿＿＿＿＿＿＿＿＿＿＿＿＿＿＿＿＿＿＿＿＿＿

＿＿＿＿＿＿＿＿＿＿＿＿＿＿＿＿＿＿＿＿＿＿＿＿＿＿＿＿＿＿＿＿＿。

四　你觉得马先生是个什么样的人？他属于哪个类型的朋友？你觉得作者喜欢马先生吗？为什么？

五　请给大家介绍一个你最有趣的朋友。

香港的高楼，北京的大树

预习

　　这篇文章通过"高楼"与"大树"这两个景物，表现出了香港和北京这两个城市的不同特点，同时表达了作者对于古老北京现代化之路的看法。

　　请预习课文，并根据课文完成下面的段落。

1　香港有很多＿＿＿＿＿，却缺少＿＿＿＿＿＿。

2　中环一带，高楼＿＿＿＿＿。远远望去，好像＿＿＿＿＿＿。

3　香港马路＿＿＿＿＿，林荫树较少。这个城市，五光十色，美中不足的是缺少＿＿＿＿＿＿。

4　＿＿＿＿＿有树，＿＿＿＿＿有树。只是似乎没有人注意这些树，欣赏这些树，树在一定程度上被人＿＿＿＿＿了。

5　在香港，我极少＿＿＿＿＿。我坐在酒店里，想起北京的＿＿＿＿＿，中山公园、劳动人民文化宫、＿＿＿＿＿和＿＿＿＿＿公园的松柏。

6　我现在明白了，为什么居住在＿＿＿＿＿的人需要度假。他们需要暂时

离开＿＿＿＿＿的城市，离开＿＿＿＿＿＿＿＿＿的生活节奏，亲近自然，以获得片刻的＿＿＿＿＿和清闲。

7　从中国的古典小说中可以知道，至少在＿＿＿＿＿的时候，北京的大树就很有名了。"故都多乔木"，北京＿＿＿＿＿＿＿＿，才成其为北京。

8　古老的北京也是要＿＿＿＿＿的，工作节奏、生活节奏也会＿＿＿＿＿的。现代化、高速度以后的北京会是什么样子呢？想起那些大树，我就觉得＿＿＿＿＿了。

9　现代化之后的北京，＿＿＿＿＿＿＿＿＿＿＿。

香港的高楼，北京的大树

香港有很多高楼，却缺少大树。

中环一带，高楼林立，车如流水。楼大多在五六十层以上，由于都很高，所以也显不出哪一座特别突出。外表大多是透亮的玻璃、纯黑的大理石，远远望去，真好像密密的森林。

香港马路窄，林荫树较少。这个城市，五光十色，美中不足的是缺少必要的、足够的绿。城市里，寸土如金，无空地可种树。

半山有树，山顶有树。只是似乎没有人注意这些树，欣赏这些树，树在一定程度上被人忽略了。

海洋公园有树。香港的海洋公园，依山靠海，这里有从世界各地移植来的植物，树木都修剪得很整齐，有些花如碗大，有深红、浅红、白色的，内地很少见。但是游人们极少在花木间停下来观赏。人们到这里来的目的，是乘坐"疯狂过山车"、"波浪船"、"八脚鱼"之类的刺激性的、使人晕眩的游乐设施。

我对这些玩意儿全都不敢领教，一来是自己上了年纪，二来是本不喜欢冒险性的娱乐。所以只在一旁喝着可口可乐，看看年轻人乘坐这些玩意儿的兴奋紧张的神情，听他们在危险的瞬间发出的惊呼。

在香港，我极少逛街，我的一个朋友说我从北京到香港，不过是换一个地方坐着罢了。我坐在酒店的房间里，想起北京的大树，中山公园、劳动人民文化宫、天坛和北海公园的松柏。

到大屿岛参加内地和香港作家的交流活动，住了两天。这里是香港人度假的地方，大海、沙滩、礁石，很安静。不很高的建筑，点缀在上山的小道两旁。我现在明白了，为什么居住在高度现代化城市的人需要度假。他们需要暂时离开喧嚣的城市，离开紧张的生活节奏，亲近自然，以获得片刻的宁静和清闲。

我的一位作家朋友看看大屿山，两次困惑地问道："为什么山上没有大树？"他说："如果有十棵大松树，不要多，有十棵，就大不一样了！"

山上是有树的，台湾相思树，枝叶都很美。只是大树确实是没有。既没有朋友家乡的大松树，也没有北京的大柏树、白皮松。

俗话说"人的名儿，树的影儿[注1]"，从中国的古典小说中可以知道，至少在明朝的时候，北京的大树就很有名了。"故都多乔木"[注2]，北京有大树，才成其为北京。

回到北京，下了飞机，坐在"的士"里，与同车作家谈起香港的速度。司机在前面搭话："北京将来也会有那样的速度的！"他的话不错。古老的北京也是要高度现代化的，工作节奏、生活节奏也会加快的。现代化、高速度以后的北京会是什么样子呢？想起那些大树，我就觉得安心了。

现代化之后的北京，还会是北京。

（作者汪曾祺，有删改）

◉ 注解

1. 人的名儿，树的影儿

   中国的一句俗话，意思是人的名声，就像大树的影子一样，只要有实力，总会显出来。

2. 故都多乔木

   意思是古老的都城总是有很多高大的树木。

词语表

1	一带	yídài	【名】	……这一个区域，前面常有名或代词。

◎ 天安门一带有很多古代建筑。 ◎ 这一带的气候比较寒冷。

2	高楼林立	gāolóu línlì		形容楼很多、很高、很密，好像树林一样。

◎ 改革开放以来，深圳从一个小渔村变成了高楼林立的大都市。

3	车如流水	chē rú liúshuǐ		比喻车流量大，好像流水一样。

◎ 以前这条路上汽车很少，现在车如流水，非常热闹。

4	显	xiǎn	【动】	表现出 to show

◎ 他昨天没有休息好，今天显得很累。

◎ 这个学校的学生都很优秀，显不出谁更突出。

5	透亮	tòuliàng	【形】	通透明亮 perfectly clear, bright

◎ 今天一点儿雾都没有，天空很透亮。

6	大理石	dàlǐshí	【名】	一种石头，多用作建筑材料 marble

7	林荫树	línyīnshù	【名】	道路两旁用来遮阳的树木

林荫路　林荫大道

8	五光十色	wǔ guāng shí sè		多色彩的 multicoloured

◎ 河水在阳光下五光十色，非常美丽。

◎ 东西方文化的共同影响，使香港成为一个五光十色的城市。

9	寸土寸金	cùn tǔ cùn jīn		比喻地价很贵

◎ 每个大城市的中心商业区都是寸土寸金。

10	似乎	sìhū	【副】	好像，书面语 seem

◎ 外面看上去似乎要下雨。◎ 她似乎有点儿不太高兴。

11	欣赏	xīnshǎng	【动】	快乐地，有兴趣地观看、阅读或听（美好的事物，特别是艺术类事物）to appreciate, to enjoy, to take pleasure in

欣赏话剧　欣赏美景　欣赏音乐

12	忽略	hūlüè	【动】	没有注意到 to ignore

◎ 放大优点、忽略缺点，更容易获得友谊。

13	依山靠海	yī shān kào hǎi		描写一个地方靠近海和山

◎ 青岛是一个依山靠海的城市。

14	移植	yízhí	【动】	把植物等从一个地方移到另一个地方种起来 to transplant

◎ 这个地区移植了很多古树。◎ 他爸爸最近要做心脏移植手术。

◎ 他们希望把香港的经验移植到内地去。

15	修剪	xiūjiǎn	【动】	修理剪短 to trim

修剪树木　修剪指甲　修剪头发

16	内地	nèidì	【名】	距离边疆或沿海较远的地区。

◎ 香港的淡水来自内地。

$\vee + (过(来, 去))$

| 17 | 观赏 | guānshǎng | 【动】 | 观看美丽的东西。 |

观赏花展　观赏夜景 ◎ 这种西红柿是用来观赏的，并不好吃。

| 18 | 疯狂 | fēngkuáng | 【形】 | 指人或动物失去控制 crazy |

疯狂地工作 ◎ 你们玩儿得也太疯狂了吧。

| 19 | 过山车 | guòshānchē | 【名】 | 一种游乐设施，车会在空中过 360 度弯道。 roller coaster |

◎ 这段经历简直像坐过山车。

| 20 | 刺激 | cìjī | 【形】 | 让人兴奋、激动的 thrilling |

◎ 她觉得看恐怖电影很刺激，可是看完又吓得睡不着。

| | | | 【动】 | 外界事物作用于某事物，使它起变化或受到影响 to stimulate, to provoke |

◎ 政府制定了一系列新政策来刺激经济增长。

◎ 他脾气不好，你不要刺激他。

| 21 | 晕眩 | yūnxuàn | 【动】 | 头发昏，有旋转的感觉 dizzy |

◎ 我觉得头有点儿晕眩。

| 22 | 游乐 | yóulè | 【动】 | 游戏娱乐，书面语 to have fun |

游乐园　游乐场

| 23 | 设施 | shèshī | 【名】 | 为某种需要而建立的机构、系统、组织、建筑等 installations |

工作设施　游乐设施　基础设施 ◎ 这个地区的生活设施很完善。

| 24 | 玩意儿 | wányìr | 【名】 | 事物，东西，口语，有时含有轻微的贬义 thing |

◎ 我不喜欢 ipad 这种玩意儿。

| 25 | 领教 | lǐngjiào | 【动】 | 亲自尝试、遇到等 to try, to encounter |

◎ 过山车太危险，我不敢领教。◎ 那个城市的公共交通，我可领教过，太不方便了。

| 26 | 上年纪 | shàng niánjì | | 进入老年 become old, age |

◎ 我奶奶已经上了年纪，不能再乘坐刺激性的游乐设施。

| 27 | 冒险 | mào xiǎn | | 不顾危险做某事 to take a risk; hazardous, risky |

◎ 虽然雨夜山路滑坡，但是警察还是冒险去救困在山里的大学生。

◎ 你这样做，有点儿太冒险了。

| 28 | 兴奋 | xīngfèn | 【形】 | 又高兴又激动 excited |

◎ 听说明天的课要到动物园去上，孩子们兴奋地叫起来。

| 29 | 神情 | shénqíng | 【名】 | 神态和表情，书面语 expression |

◎ 她的神情有些忧伤。

30	瞬间	shùnjiān	【名】	非常短的时间，书面语 in a twinkling; split-second
				◎ 在我看到她的瞬间，就喜欢上了她。
31	惊呼	jīnghū	【动】	受惊大声叫 to scream
				◎ 在危险的瞬间，人们忍不住惊呼起来。
				◎ 看到牛疯狂地冲过来，他发出一声惊呼。
32	逛街	guàng jiē		在街上闲走 to stroll around the streets
				◎ 很多女孩子周末喜欢逛街。
33	松柏	sōngbǎi	【名】	松树和柏树 pine tree and cypress
34	度假	dù jià		到一个地方休闲放松 to take a holiday
				◎ 你今年夏天打算到哪里度假？
35	沙滩	shātān	【名】	sand beach
36	礁石	jiāoshí	【名】	江河和海洋中的岩石 reef rock
37	点缀	diǎnzhuì	【动】	装点，零星散落 to decorate, to ornament
				◎ 几间小红房子点缀在绿树林中。◎ 她在黑色的连衣裙上点缀了一枚银色的胸针。
38	喧嚣	xuānxiāo	【形】	吵闹，书面语 nosiy
				◎ 和喧嚣的城市相比，我更喜欢宁静的乡村。
39	节奏	jiézòu	【名】	交替出现的有规律的强弱、长短现象，比喻有规律的过程 rhythm
				◎ 大城市的生活节奏很快。
40	亲近	qīnjìn	【动】	亲密地接近 to close to
				◎ 这次郊游，给了我们一个亲近大自然的机会。
			【形】	关系很近的 close
				◎ 以前，邻居之间的关系很亲近，现在却渐渐疏远了。
41	片刻	piànkè	【名】	一小段时间，书面语 a moment
				◎ 请您稍等片刻，我让他来听电话。
42	宁静	níngjìng	【形】	环境或内心很安静 tranquil
				◎ 不管环境多么喧嚣，也不能扰乱我内心的宁静。
43	清闲	qīngxián	【形】	不忙，有空闲 having plenty of leisure
				◎ 退休后，她不再忙碌，生活很清闲。
44	俗话	súhuà	【名】	人们习惯说的道理 common saying, proverb

◎ 俗话说"失败是成功之母"，虽然这次没有成功，也不要灰心。

45	古典	gǔdiǎn	【形】	古代经典的 classic

◎ 我的专业是古典文学。◎ 我很喜欢古典音乐。

46	乔木	qiáomù	【名】	高大的树木 tall tree

47	搭话	dā huà		主动跟人说话 to get in a word, to make conversation

◎ 我很想练习口语，可是不知道怎么和中国人搭话。

◎ 我们正讨论问题，司机突然在前面搭话。

◉ 专名

1. 香港中环	Xiānggǎng Zhōnghuán	香港的中央商业区。
2. 大屿岛	Dàyǔ Dǎo	也称大屿山，是香港西侧一个岛屿。

词语辨析

1. 观赏　欣赏

　　两个词语都是动词，都有"愉快地品味"的意思，但是"观赏"的语义重点是"观看美丽的东西"，如："观赏花展"、"观赏焰火表演"等，更强调"看"；而"欣赏"的语义比较广，除了"看"，还可以"愉快地听或读某种美好的事物，特别是艺术类事物"如："欣赏话剧"、"欣赏美景"、"欣赏音乐"、"欣赏李白的诗歌"等，更强调内心的感受。

2. 安静　宁静

　　两个词都是形容词，都表示一个地方没有声音，但是"安静"主要指外在环境，如："图书馆很安静。"而"宁静"主要指人的内心感受，如："虽然环境很喧嚣，可是我的心里却很宁静。"另外，"宁静"多用于书面。

3. 神情　表情

　　两个词都是名词，意思很接近，但是"神情"的语义较窄，主要指从脸上（特别指通过眼神）可以看出的人的悲喜惊等神态，多用于书面。如："她的神情有些忧伤（/恍惚）"。"表情"语义较广，主要指面部肌肉和眼、嘴、眉等的动作。如："他脸上的表情很丰富（/夸张）"。再如："她脸上毫无表情。"这时"表情"不能用"神情"代替。

词语练习

一　根据拼音写出汉字，然后把它们填在合适的句子里：

sìhū　xiūjiǎn　yídài　tòuliàng　xīnshǎng　yízhí　hūlüè　xīngfèn

1. 我觉得，如果公园的树被（修剪）得太整齐，就会失去天然的味道。
2. 这个观点听起来（似乎）很正确，其实非常空洞。
3. 商业区（一带）寸土寸金，找便宜房子真是可遇不可求。
4. 换了玻璃以后，房间里比原来（透亮）多了。
5. 爸爸最大的爱好就是（欣赏）古典音乐。
6. 把沿海的经验简单（移植）到内地，不一定能成功。
7. 听说明天的课要到动物园里去上，孩子们（兴奋）地欢呼起来。
8. 你不能因为整天工作（忽略）了家人。

fēngkuáng　wányìr　yūnxuàn　cìjī　shèshī　mào xiǎn　lǐngjiào

9. 最近我买了个掌上面条机，这个小（玩意儿）可以很方便地做出美味的面条。
10. 他整天（疯狂）地加班，大家都叫他"工作狂"。
11. 这几天一站起来就觉得头有点儿（晕眩），可能是睡眠不足吧。
12. 这一带的生活（设施）很不完善，附近连超市都没有。
13. 你把这么多钱都放到股市，是不是有点儿太（冒险）了？
14. 看恐怖电影的时候，她虽然吓得要死，可是觉得很（刺激）。
15. 川菜虽然好吃，但是我吃不了辣的，所以不敢（领教）。

diǎnzhuì　shùnjiān　xuānxiāo　jiézòu　piànkè　qīngxián　súhuà

16.（俗语）说"朋友是自己的镜子"，看一个人的朋友，就可以了解这个人的境界。

17. 就在汽车冲到山下的（瞬间），他跳出了车窗，安全脱险。

18. 你这件衣服颜色太暗了，你最好别上一个胸针（点缀）一下。

19. 很多人以为在博物馆工作很（清闲），但是事实并不尽然。

20. 女儿刚出生那段时间，我连（片刻）休息的时间都没有。

21. 现在北京的生活（节奏）也逐渐加快了。

22. 虽然环境很（喧嚣），可是我的内心却非常宁静。

二　把下面的词语填到最合适的句子中：

观赏　　欣赏　　神情　　表情　　宁静　　安静

1. 医院的病房需要保持（　　　），请不要大声吵闹。

2. 人生最高的境界，就是在喧嚣的环境中也能够保持内心的（　　　）。

3. 你看她那种目瞪口呆的（　　　），就可以知道她事先不知道这件事。

4. 父亲刚去世的那段日子，她的（　　　）一直有些恍惚。

5. 这种桔子是（　　　）性的，不能吃。

6. 上个学期，我选了一门"古诗（　　　）"课。

三　在下面的形容词后填上合适的名词，然后用这个搭配造一个句子：

喧嚣的（　　　）　　　兴奋的（　　　）　　　透亮的（　　　）
宁静的（　　　）　　　疯狂的（　　　）　　　清闲的（　　　）

四　写出下面词语的反义词：

兴奋——　　　　清闲——　　　　宁静——　　　　亲近——

五　把下面四字词语填入最合适的句子中：

五光十色　寸土寸金　车如流水　依山靠海　高楼林立

1. 青岛（　4　），风景如画，是一个度假的好地方。

2. 北京三环路上（　3　），交通非常繁忙。

3. 照片上几个大城市的建筑风格都是（　　5　　），看不出什么特点。

4. 大城市的中心地段（　　2　　），地价非常贵。

5. 留学生活（　　1　　），丰富多彩，给我留下了难忘的回忆。

六　在下面句子中填入本课出现的合适的单音节动词：　　打 jiaodao

1. 我很想练习英语，可是不知道怎么和外国人（说）话。

2. 由于最近加班很多，她看上去（觉）得很累。

3. 人（上）了年纪，就开始喜欢回忆往事。

4. 我不太喜欢（逛）街，因为觉得外边太喧嚣。

5. 今年夏天你打算去什么地方（度）假？

七　查字典，看看下面词语和其中的黑体字是什么意思，然后再写出两个由这个黑体字组成的词语：

欣**赏**　观**赏**　　_____　　_____

植物　移**植**　　_____　　_____

表**情**　神**情**　　_____　　_____

安**静**　宁**静**　　_____　　_____

冒**险**　危**险**　　_____　　_____

语言点 ●

1 由于……所以……

● 楼大多在五六十层以上，由于都很高，所以也显不出哪一座特别突出。

　　这个句型用来表示原因和结果，"由于"后面是表示原因的词语小句或者，"所以"后面引出结果，有时"所以"也可以省略。这个句型比"因为……所以……"的书面语色彩重。例如：

① 由于他知识面很窄，所以没能通过面试。

② 由于市中心地价很贵，所以很多人选择在郊区买房。

③ 由于天气不好，所以足球赛取消了。

2 在……（的）程度上

● 树在一定程度上被人忽略了。

这个结构用来修饰谓语，说明谓语达到的某一程度。其中："在某种程度上"或"在一定程度上"表示较低的程度；"在很大程度上"则表示较高的程度。这一结构多用于书面语。如：

① 调查发现，各大城市昂贵的房价，在某种程度上降低了人们的幸福感。

② 国家增加了节假日，这在一定程度上刺激了旅游经济的发展。

③ 专家认为，能否学好外语在很大程度上取决于学习者的学习方法。

3 一来……二来……

● 我对这些玩意儿全都不敢领教，一来是自己上了年纪，二来是本不喜欢冒险性的娱乐。

这个结构用来说明做某件事情的两种理由，前面常有所做的某种事情。这个结构多用于口语。例如：

① 今年夏天，我打算去东北度假，一来想过个凉爽的夏天，二来想顺便参观几个农场。

② 昨天我没有去看电影，一来是准备考试没有时间，二来是对武打片不感兴趣。

4 不过……罢了

● 我的一个朋友说我从北京到香港，不过是换一个地方坐着罢了。

"不过"，这里是"只是"的意思，常和"罢了"配合使用，说明一种简单的或者不太严重的情况。例如：

① 她找了一大堆借口说没有时间，其实不过是不愿意跟你一起吃饭罢了。

② 我觉得，到月球上安家，不过是人们的梦想罢了。

③ 他们不过是吵架说气话罢了，哪里会真离婚。

5 ……，以……

● 他们需要暂时离开喧嚣的城市，离开紧张的生活节奏，亲近自然，以获得片刻的宁静和清闲。

"以"，连词，后面常常跟小句，引出前面小句的目的，这个结构多用于书面语。例如：

① 这个学期我选了一门写作课，以提高我的汉语写作水平。

② 这个城市的中小学将引进外地教师，以解决本地教师缺乏的问题。

6 ……成其为……

● "故都多乔木"，北京有大树，才成其为北京。

▲ 说明：这个句型表示一个事物只有具备某种特别的条件，才能够真正配得上自己所叫的名称"，"成其为"有时也作"称其为"，后面往往是一个具有独特个性的名称。例如：

① 拥有传统文化和古老建筑，北京才能成其为北京。

② 他说："不会喝酒，就不成其为北方人。"

语言点练习

一 用所给的词语完成对话或句子：

1. A：昨天的球赛为什么取消了？

　　B：＿＿＿＿＿＿＿＿＿＿＿。（由于……所以……）

2. A：今天的会议为什么这么多人缺席？

　　B：＿＿＿＿＿＿＿＿＿＿＿。（由于……所以……）

3. 一个人能否成功＿＿＿＿取决于＿＿＿＿＿。（在……程度上）

4. 最近实行的汽车分单双号上路的规定，＿＿＿＿＿＿＿＿。（在……程度上）

5. A：你不是有汽车吗，为什么还要骑自行车上班？

　　B：＿＿＿＿＿＿＿＿＿＿＿。（一来……二来……）

6. A：你为什么要在郊区买房子？

　　B：＿＿＿＿＿＿＿＿＿＿＿。（一来……二来……）

7. A：昨天我忘了我太太的生日，她居然要和我离婚！

　　B：你别担心，她＿＿＿＿＿＿＿＿＿＿＿。（不过……罢了）

8. A：听说人类很快就要到月球上安家了，是真的吗？

　　B：＿＿＿＿＿＿＿＿＿＿＿。（不过……罢了）

9. 今年我计划阅读一些中国历史方面的书，_____
_____。（以……）

10. 春节期间，铁路加开了很多临时列车，_____
_____。（以……）

11. A：北京为什么开始保护老胡同？

 B：_____。（……成其为……）

12. A：我觉得香港的节奏太快了。

 B：_____。（……成其为……）

二 用本课重要的语言点造句：

由于……所以……

在……程度上

一来……二来……

不过……罢了 *thats all*

以……

……成其为……

综合练习 ••••••••••••••••••••••••

一 在下面的句子中填上合适的动词补语，然后对照课文，看填得是否正确：

1. 楼大多在五六十层以上，由于都很高，所以也显不（出）哪一座特别突出。

2. 有些花如碗大，内地很少见。但是游人们极少在花木间停（下来）观赏。

3. 我坐在酒店的房间里，想（起）北京的大树，中山公园、劳动人民文化宫、天坛和北海公园的松柏。

4. 回到北京，下了飞机，坐在"的士"里，与同车作家谈（起）香港的速度。

5. 我只在一旁看看年轻人乘坐这些玩意儿的兴奋紧张的神情，听他们在危险的瞬间发（出）的惊呼。

二　请你先读下面三段课文，然后根据后面的提示进行语段写作练习：

1. 香港有很多高楼，**却**缺少大树。

中环**一带**，高楼林立，车如流水。楼大多在五六十层以上，**由于**都很高，所以也显不出哪一座特别突出。外表大多是透亮的玻璃、纯黑的大理石，**远远望去**，真好像密密的森林。

香港马路窄，林荫树较少。这个城市，五光十色，**美中不足的是**缺少必要的、足够的绿。城市里，寸土如金，无空地可种树。

半山有树，山顶有树。**只是**似乎没有人注意这些树，欣赏这些树，树在**一定程度上**被人忽略了。

*上面这段课文写出了香港"高楼多、大树少"这两个方面，仔细思考作者是怎样描写的。请你仿照这段话，使用这样的格式，写一段100字左右的短文，说说你熟悉的某个城市的两个方面。请尽量使用黑体部分的词语或结构：

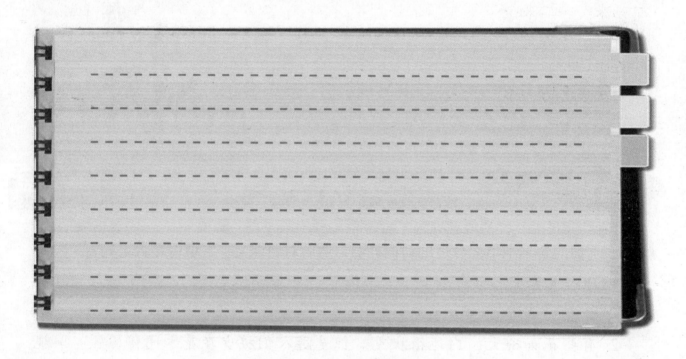

2. 香港的海洋公园，依山靠海，这里有从世界各地移植来的植物，树木都修剪得很整齐，有些花如碗大，有深红、浅红、白色的，内地很少见。但是游人们极少在花木间停下来观赏。

3. 到大屿岛参加大陆和香港作家的交流活动，住了两天。这里是香港人度假的地方，大海、沙滩、礁石，很安静。不很高的建筑，点缀在上山的小道两旁。

* 请你仿照上面这两段话，写一段不超过 100 字的短文，描写一个你熟悉的度假的地方：

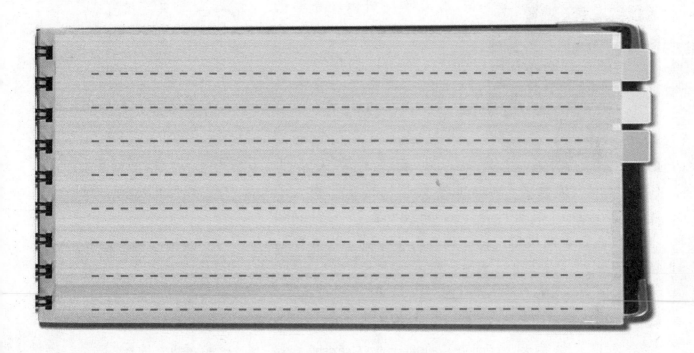

阅读 副课文

北京的高楼，香港的大树

"二十年前汪曾祺（Wāng Zēngqí）先生曾写过一篇文章，叫做《香港的高楼，北京的大树》，可是现在，我觉得这题目应该改一改，变成《北京的高楼，香港的大树》。"

说这话时，我正和朋友一起走在香港尖沙咀（Jiānshāzuǐ）弥敦路（Mídūn Lù）的林荫道上，高大的榕树（róngshù）枝繁叶茂（zhī fán yè mào），粗壮的树干和飘在空中的根须，使它们看上去像是上了年纪的老人，给人一种古老的感觉。

香港有大树。

不仅在弥敦路，就是在寸土寸金的商业区，也常常会发现几株参天（cāntiān）的椰子树（yēzishù）点缀在高楼之间，给喧嚣的街道增加几分宁静。

我用相机不停地对着这些大树拍照，朋友见了，困惑地问："你为什么这么喜欢树？是不是因为在北京不容易看到南方的树木？"

她哪里知道，不只在香港，现在无论我走到哪个城市，都喜欢拍摄（pāishè）街上的大树。在南京，我拍摄种植着法国梧桐树（wútóngshù）的林荫道；在日本京都，我拍摄路边那些高大的银杏（yínxìng）。我喜欢拍摄大树，并不是由于我对植物有特别的兴趣，而是因为在我居住的北京已经越来越看不到大树了。

说起北京，脑海里立刻出现的就是一座红墙灰

汪曾祺：(1940 — 1997)中国当代作家。

尖沙咀：Tsim Sha Tsui 香港九龙主要的旅游区和购物区。

榕树：一种乔木。banyan

枝繁叶茂：树长得高大茂盛。

参天：很高。

椰子树：coconut tree

拍摄：照照片。

梧桐树：一种大叶乔木。phoenix tree

银杏：gingko

瓦（wǎ）、绿树成荫、生活清闲的古都。可是如果你站在建国门一带看一看，就会看到高楼林立，车如流水，你会以为这是到了上海或者纽约。

从上个世纪90年代起，北京的马路越修越宽，绿树越砍（kǎn）越少，很多树木是在修路或是城市改造的过程中被砍掉的。城市的林荫道逐渐消失，刚种植的小树还只有胳膊那么粗，无法遮阳（zhēyáng）。夏天的北京，大街上是如水的车流和刺眼的阳光，整个城市在烈日下没有一点儿遮挡（zhēdǎng），气温可以比周边地区高出三四度。北京，已经变成了一座喧嚣的城市，一座节奏紧张、没有大树的城市。

北京有大树，但都在天坛、颐和园等公园里，大街上难得看到。

走在北京，我常常会有种莫名其妙的陌生（mò shēng）感：这是北京吗？故宫还在，颐和园还在，天坛还在，但是总觉得似乎缺了些什么。当朋友问我为什么喜欢拍大树时，我突然明白，北京缺少的就是高大的树木。故都多乔木，没有了大树的北京，还能成其为古都吗？

每个城市都有自己的性格，北京的性格是什么呢？从容、清闲、宁静、自在，就像那些古老的大树一样，上了年纪，见多识广（jiàn duō shí guǎng），给人一种安心的感觉，这才是北京。失去了这个特点，北京就不能成其为北京了。

如今的北京，仍在高速现代化的过程中。最近，恢复旧城格局（géjú）成了热门话题，真心希望北京现有的大树能得到更好的保护，不要让将来到北京观光的游客发出这样的感叹："如果有十棵大松树，不要多，有十棵，就大不一样了！"

瓦：tile

砍：cut down

遮阳：挡住太阳。
adumbral
遮挡：挡住。

陌生：不认识。

见多识广：因为经历过很多事情，所以有很多经验和智慧。

格局：结构

副课文练习

一　根据文章内容，选择正确的答案：

1. 作者认为《香港的高楼，北京的大树》应该改为《北京的高楼，香港的大树》，是因为：
   A. 汪曾祺先生弄错了题目
   B. 香港也有很多大树
   C. 北京的楼比香港更高
   D. 北京已经发生了很大变化

2. 作者描写香港的榕树的那一段，是为了说明：
   A. 香港的榕树很多
   B. 榕树更适合做林荫树
   C. 大树给香港一种古老的感觉
   D. 榕树只能生长在南方

3. 作者喜欢拍摄大树，是因为：
   A. 她很喜欢摄影
   B. 她对植物很感兴趣
   C. 她很喜欢南方的树木
   D. 北京街上大树越来越少

4. 从文章中，可以知道北京：
   A. 生活节奏比香港快
   B. 砍掉了很多树
   C. 没有大树
   D. 变化不大

5. 从这篇文章中，可以看出作者的观点是：
   A. 北京在发展中应该保护传统
   B. 北京不应该修建高楼
   C. 北京应该改变自己的传统风格
   D. 北京应该尽快成为国际城市

二 你到过北京吗？请结合课文和副课文，选择下面所给的词语，描述一下北京这座城市：

古都　古老　绿树成荫　红墙灰瓦　参天　松柏　透亮　高楼林立

车如流水　安静　宁静　清闲　节奏　喧嚣　成其为　见多识广

现代化　安心

三 你认为古老的城市在现代化的过程中应该注意什么？

世纪遗产清单

这篇课文谈的是人类对自然的破坏问题。请你预习课文，并试着回答下面的问题，看看课文的生词表里，有没有你需要的词语。

1 根据课文，20 世纪给人类留下了哪些遗产？这些遗产将给 21 世纪的人们带来哪些"好处"？请你先填写下表的左栏，然后和右栏对应的条目连线。

遗产	给21世纪带来的"好处"
	让人们大开眼界
遗产一：	可以很方便地欣赏到海市蜃楼
	视野会更加开阔
遗产二：	使人们不再孤独和寂寞
	可以在夜空中观测到奇异的天文现象
遗产三：	少了被水淹死的危险
	使人们很少遇上细雨绵绵的天气
遗产四：	可以住进美丽的疗养院，摆脱掉繁重的工作
遗产五：	常常听到驼铃的丁当声

2 你觉得作者是用一种什么样的语气写这篇文章的？请你在课文中找出几个让你感觉到这种语气的词语或句子。

A 兴奋的　　　　B 讽刺的　　　　C 生气的

D 平静的　　　　E 骄傲的

课文 ●

世纪遗产清单

　　像一个人临终前要对自己的财产进行清点以便留给后人一样，一个世纪即将结束时，也该把自己留下的东西列一份清单，以便让下个世纪的人们心里明白这个世纪的功劳。20世纪的黄昏已经来临，这个世纪究竟给我们人类留下了什么，似乎也到了清点一下的时候了。

　　8千多万具死于战争的尸骨，是20世纪留给人类的最大一笔"财富"。两次世界大战和30余次国际、国内战争，造成了全世界约8千万名军人和无辜平民的死亡，这些死去的人们如今都已化为白骨被掩埋在了土层深处。这些尸骨静静地望着活着的人们，他们的哭泣，会使21世纪的人们不再感到孤独和寂寞。

　　数万个核弹头是20世纪留给人类的又一笔"财产"。世界上有核国家制造的核弹头加在一起已需要用万来数了，这些核弹头可以把地球毁灭许多次。人类终于为自己制造出了集体死亡的工具，这是一件值得骄傲的事情。也许21世纪的某一天，我们人类会欣赏到核弹爆炸时那美丽的闪光。那时，人们一定会为遇上这种大开眼界的机会而欢呼。

　　10多亿公顷的森林变成了平地和沙漠，是20世纪的又一大"功劳"，也是它留给21世纪人类的一笔可观的不动产。没有了这些森林，人类也就少了许多的麻烦，就会很少再遇到多云、多雾以及细雨绵绵的天气；沙漠面积大了，人们就会更方便地欣赏到沙漠里的海市蜃楼，就会不停地听到驼铃的丁当声；平地面积多了，人们的视野就会更加开阔，就会看到大地尽头美妙的风景。

　　几千条污染了的河流和几百个污染了的湖泊，是20世纪留下的又一笔"遗产"。有了这笔遗产，21世纪的人们就不必再到那些河湖里捕鱼，从而也就少了制造渔船和渔网的麻烦。有了这笔"遗产"，许多人就不必再学游泳，从而也就少了被水淹死的危险。有了这笔"遗产"，许多人就可以为一种莫名其妙的小病而住进美丽的疗养院，从而把繁重的

工作摆脱掉。

　　350 万块宇宙垃圾是 20 世纪留下的一笔十分新颖的"遗产"，这些东西目前正围绕地球运转。仅在近地球轨道上登记在册的、直径 10 厘米以上的太空垃圾就有 19000 块。有了这笔财产，科学家们日后就可以少发射或不发射人造卫星，而我们的天文爱好者则可以在晴朗的夜空，观测到更多奇异的天文现象。

　　一个多么"慷慨"的世纪，仅粗略一数就知道它给人类留下了如此多的东西。21 世纪的人们当然应该对它表示感谢。

　　上帝呢？上帝也为此而满脸笑意？

（作者：周大新，有删改）

词语表

1	遗产	yíchǎn	【名】	先人留下来的财富 legacy, heritage

◎ 他叔叔去世后，给他留下一笔遗产。 ◎ 他继承了父亲的遗产。

2	清单	qīngdān	【名】	记录有关项目的详细的单子 detailed list

◎ 请你把箱子里所有的东西列一份清单。

3	清点	qīngdiǎn	【动】	清理查点 to check, to count, to make an inventory

◎ 你好好清点一下，看是不是所有明天该带的东西都准备好了。

◎ 她正在清点她的衣服 / 库存的东西。

4	即将	jíjiāng	【副】	将要，就要，书面语 be about to, be on the point of

◎ 明年我即将毕业，现在正在准备论文。

5	列	liè	【动】	按一定的顺序排出来 to row, to line, to list

列表　列一份清单

6	功劳	gōngláo	【名】	为一件事情做出的努力或起到的决定性的作用 merits and contribution

◎ 试验成功，功劳并不是我一个人的，而是大家的。

◎ 他为公司的发展立下了汗马功劳。

7	黄昏	huánghūn	【名】	日落以后至天还没有完全黑的这段时间，书面语 evenfall, dusk

◎ 黄昏时，我喜欢一个人在湖边散步。

| 8 | 尸骨 | shīgǔ | 【名】 | 尸体腐烂后留下的骨架，书面语 skeleton of a corpse |

一具尸骨

| 9 | 财富 | cáifù | 【名】 | 对人有价值的东西 wealth, riches |

物质财富　精神财富

| 10 | 无辜 | wúgū | 【形】 | 清白的，无罪的 innocent |

◎ 案件发生时，我不在现场，我是无辜的。

◎ 你不要因为和太太吵架，就对孩子发火，孩子是无辜的。

| 11 | 掩埋 | yǎnmái | 【动】 | 用泥土等盖在（常用于尸体）上面，书面语 to bury |

◎ 掩埋掉心爱的狗以后，她忍不住哭了起来。

| 12 | 哭泣 | kūqì | 【动】 | 小声地哭，书面语 to weep, to cry |

◎ 别再为过去的事情哭泣了！

| 13 | 孤独 | gūdú | 【形】 | 一个人觉得没有依靠 isolated, lonely |

◎ 我刚出国时，一个朋友都没有，觉得很孤独。

| 14 | 寂寞 | jìmò | 【形】 | 内心冷清孤单 solitary, lonely, lonesome |

◎ 虽然那天生日晚会的气氛很热烈，可是因为刚刚和女友分手，他心里还是
感到非常寂寞。

| 15 | 核弹头 | hédàntóu | 【名】 | nuclear warhead |

核武器　核电站　核爆炸

| 16 | 毁灭 | huǐmiè | 【动】 | 彻底破坏，消灭 to destroy, to exterminate, to demolish, to annihilate |

◎ 破坏环境等于毁灭人类自己。

| 17 | 爆炸 | bàozhà | 【动】 | 物体体积突然变大，使周围气压发生强烈变化并产生巨大声响 to explode, to burst, to blow up |

炸弹爆炸　引起爆炸

人口爆炸　知识爆炸

| 18 | 大开眼界 | dà kāi yǎnjiè | | 看到美好而新奇的事物，增长见闻 widen one's view |

让人大开眼界

| 19 | 欢呼 | huānhū | 【动】 | 高兴地喊叫 to cheer, to acclaim |

◎ 听到战争结束的消息，人们都欢呼起来。

| 20 | 公顷 | gōngqǐng | 【量】 | 一万平方米 hectare |

21	沙漠	shāmò	【名】	地面完全是沙，植物和雨水很少的地区 desert
22	不动产	búdòngchǎn	【名】	不能移动的财产，如房屋等 immovable property
23	细雨绵绵	xìyǔ miánmián		一段时间内，总是不断地下小雨 continuous drizzling

◎ 我很不习惯南方细雨绵绵的天气。

| 24 | 海市蜃楼 | hǎi shì shèn lóu | | 一般发生在沙漠地区和海边的奇异的幻景，也用来比喻不真实的事物 mirage |

◎ 在那位哲学家看来，人生只是美丽的海市蜃楼。

25	驼铃	tuólíng	【名】	挂在骆驼脖子上的铃铛 camel bell
26	丁当	dīngdāng	【象声】	金属或瓷器撞击发出的声音 clank
27	视野	shìyě	【名】	眼睛看到的范围或观察和认识到领域 visual field, horizon, ken

◎ 这个地方没有什么高楼，视野很开阔。

◎ 这本书开阔了我的视野。

| 28 | 污染 | wūrǎn | 【动】 | 弄脏或使接触到有害的东西 to contaminate, to defile, to pollute |

◎ 核弹头污染了整个地区。

◎ 由于工厂不停地把污水排放到河里，这条河受到了严重的污染。

◎ 过度发展的汽车工业造成了严重的环境 / 空气 / 噪音污染。

◎ 我认为黄色杂志是一种精神污染。

| 29 | 捕鱼 | bǔ yú | | 用网或大型工具捉鱼 to fish |

◎ 他的父亲以捕鱼为生。

| 30 | 淹 | yān | 【动】 | 水盖过 to flood, to submerge |

◎ 洪水淹了很多农田。◎ 他不会游泳，掉到湖里差点儿被淹死。

| 31 | 繁重 | fánzhòng | 【形】 | 指工作、任务等多而重 heavy, onerous |

繁重的工作　繁重的任务

| 32 | 宇宙 | yǔzhòu | 【名】 | 包括一切天体的无限空间 universe |

◎ 谁都不知道宇宙究竟有多大。

| 33 | 新颖 | xīnyǐng | 【形】 | 又新鲜又特别 new and original, novel |

◎ 他们的设计方案内容 / 思路 / 角度很新颖。

◎ 我很喜欢你这种新颖的发型 / 观点。

| 34 | 轨道 | guǐdào | 【名】 | 天体运行的路线；事物进行的程序和发展的方向、范围 orbit |

◎ 宇宙飞船升空后，将沿着地球轨道运行。

◎ 战争结束后，国家逐步走上正常轨道。

35	直径	zhíjìng	【名】	diameter

◎ 这个圆的直径是多少？

36	太空	tàikōng	【名】	地球大气层以外的区域 the outer space

◎ 很多人都希望像宇航员一样，坐着宇宙飞船到太空去旅行。

37	发射	fāshè	【动】	放出或弹射出自动推进的物体 to launch, to project, to shoot

◎ 他们从海上发射了一枚火箭／导弹。

38	卫星	wèixīng	【名】	secondary planet, satellite

◎ 月亮是地球的卫星。 ◎ 这颗气象／人造卫星是从西北发射升空的。

39	天文	tiānwén	【名】	天体在宇宙间的分布、运行等现象 astronomy

天文学　天文爱好者　天文望远镜

40	晴朗	qínglǎng	【形】	阳光充足，没有云雾 clear

◎ 今天的天气很晴朗。

41	观测	guāncè	【动】	观察并测量（多用于科学研究的目的）to observe

◎ 他花了三十多年的时间观测行星的运动／黄河的水位变化／这个地区的气候变化。

42	奇异	qíyì	【形】	奇特，特别，书面语 strange, wonderful

◎ 海市蜃楼是多发生在沙漠或海边的一种奇异的景象。

43	慷慨	kāngkǎi	【形】	大方，舍得付出金钱 generous

◎ 他对朋友很慷慨。

44	粗略	cūlüè	【形】	大概的，不精确的 superficial *rough; sketchy*

◎ 我们粗略地统计了一下，大概有一半职员愿意周末加班。

◎ 这只是一个粗略的报道，并没有提供详细情况。

45	上帝	shàngdì	【名】	the God

词语辨析

1. 孤独　寂寞

两个词语都是形容词，都表示内心一种冷清的感觉。但是"孤独"多表示因只有一个人，觉得没有依靠的感觉。如："我刚出国时，一个朋友都没有，觉得很孤独。"而"寂寞"则不一定只有一个人，而更多侧重于身边没有需要的人的冷清感，如："虽然那天生日晚会的气氛很热烈，可是因为刚刚和女友分手，他心里还是感到非常寂寞。"

2. 观测　观察

两个词都是动词，都有"仔细看"的意思，但是观测多用于"科学研究"等目的，有仔细看并进行测量数据的含义。如："他花了三十多年的时间观测黄河的水位变化。"而"观察"只是留心看，没有进行测量的意思。如："到国外后，先观察一下周围人的习俗，这样才不会闹笑话。"

3. 繁重　繁忙

两个词都有"多和忙"的意味，但是"繁重"多指任务和工作多而重，如："任务繁重、工作很繁重"。而"繁忙"也可以指人或事物很忙，没有空闲，如："老师很繁忙、机场很繁忙"。

 词语练习

一　根据拼音写出汉字，然后把它们填在合适的句子里：

qīngdān　gōngláo　liè　qīngdiǎn　huānhū　bàozhà　hédàntóu　huǐmiè

1. 你把这些旧书（列）一下，然后（清点）一份（清单）给我。

2. 很多人认为修建长城是秦始皇的一大（功劳），但是事实并不尽然。

3. 据说现在世界上有核国家的 (核弹) 可以把地球 (毁灭) 上千次。

4. 战争结束的消息传来，人们都 (欢呼) 起来。

5. 进入 21 世纪以来，电视屏幕上几乎天天都有自杀炸弹 (爆炸) 的新闻。

fánzhòng　xīnyǐng　gūdú　huánghūn　kāngkǎi　hǎi shì shèn lóu

6. 我刚出国的时候，周围没什么朋友，常常觉得很 (孤独)。

7. 听到山区小学缺乏教学设备的消息，他 (慷慨) 地把自己仅有的 3 万元存款寄了过去。

8. (黄昏) 时，街灯亮了，城市显得更加迷人。

9. (繁重) 的工作使他得了一种莫名其妙的病。

10. 在这位哲学家看来，人生好像是沙漠中的 (海市蜃楼)，美丽但不真实。

11. 你这种手机的样子很 (新颖)，是刚上市的吧？

fāshè　jìmò　guǐdào　qínglǎng　dàkāi yǎnjiè　wūrǎn　cáifù

12. 孔子的儒家思想是中国人的一笔精神 (财富)。

13. 由于大气 (污染) 十分严重，就是在 (晴朗) 的日子里，人们也难得看到蓝天。

14. 卫星 (发射) 升空后，将沿着地球 (轨道) 运行。

15. 这次到卫星发射基地参加模拟太空旅行，使青少年们 (大开眼界)。

16. 虽然那天生日晚会的气氛很热烈，可是因为刚刚和女友分手，他心里还是感到非常 (寂寞)。

二　把下面的词语填在最合适的句子中：

繁忙　繁重　孤独　寂寞　观察　观测

1. 一个作家如果想写出优秀的作品，就必须学会仔细 (观察) 生活。

2. 科学家们正在 (观测) 这个地区气候的变化。

3. 北京的三环路车如流水，交通十分 (繁忙)。

4. 最近任务很 (繁重)，我们应该增加些人手。

5. 刚到国外时，我一个朋友都没有，感到很 (孤独)。

6. 老伴儿去世后，虽然身边有儿女陪伴，老张还是感到心里很 (寂寞)。

三　在下面的形容词后填上合适的名词，然后用这个搭配造一个句子：

新颖的（电影）　　慷慨的（*Shankuan* 善款）　　奇异的（人）

繁重的（情况）　　晴朗的（天空）　　无辜的（孩子）

四　在下面的动词后填上合适的名词，然后用这个搭配造一个句子：

欣赏（风景）　　摆脱（警察）　　造成（　　）

发射（炮弹）　　观测（太太）　　清点（　　）

五　阅读课文，并在下面的句子中填上合适的量词：

1. 8千多万（具）死于战争的尸骨，是20世纪留给人类的最大一（笔）财富。

2. 两次世界大战和30余次国际、国内战争，造成了全世界约8千万（名）军人和平民的死亡。

3. 数万（个）核弹头是20世纪留给人类的又一（笔）"财产"。

4. 几千（条）污染了的河流和几百（个）污染了的湖泊，是20世纪留下的又一（笔）"遗产"。

5. 350万（块）宇宙垃圾是20世纪留下的一（笔）十分新颖的"遗产"。

六　查字典，看看下面词语和其中的黑体字是什么意思，然后再写出两个由这个黑体字组成的词语：

遗产　遗言　_____　_____

财富　财产　_____　_____

繁忙　繁重　_____　_____

轨道　轨轨　_____　_____

观测　观察　_____　_____

1 以便

● 一个人临终前要对自己的财产进行清点，以便留给后人。

　　这个句型用来表示"以便"前边的行动，是为了让"以便"后面的目的容易实现。"以便"是连词，用在后一小句的开头。前后两个小句主语相同时，后一个小句不出现主语。例如：

　① 一个世纪即将结束时，也该把自己留下的东西列一份清单，以便让下个世纪的人们
　　　心里明白这个世纪的功劳。

　② 你先把材料准备好，以便开会研究。

jiū jìng
2 究竟

● 这个世纪究竟给我们人类留下了什么？

　　用在问句中，"究竟"用在特殊疑问句、选择疑问句或正反疑问句中，加强疑问语气，表示进一步追究。带"吗"的问句，不能用"究竟"。例如：

　① 你究竟叫什么名字？

　② 究竟谁是这里的领导？

　③ 他究竟是日本人还是中国人？

　④ 你究竟去不去？

3 为……而……

● 人们一定会为遇上这种大开眼界的机会而欢呼。

　　"为……而……"这个结构用来说明行为的原因或目的。这个结构只能有一个主语，放在句子开头，"而"的后面连接动词或形容词，中间不能有停顿。例如：

　① 有了这笔遗产，许多人就可以为一种莫名其妙的小病而住进美丽的疗养院，

　② 他正在为找到一份理想的工作而努力。

　③ 她为考不上大学而难过。

4 从而

● 人们不必再到那些河湖里捕鱼，从而也就少了制造渔船和渔网的麻烦。

"从而"是连词，表示前面的行为或情况带来的结果，用在后一小句开头，沿用前一小句的主语。用于书面。例如：

① 有了这笔遗产，许多人就不必再学游泳，从而少了被水淹死的危险。

② 经过多年研究，科学家们终于找到了这种传染病的病因，从而为研制疫苗创造了条件。

5 仅……就……

● 仅在近地球轨道上登记在册的直径 10 厘米以上的太空垃圾就有 19000 块。

这个结构有两种用法：（一）课文中的用法"仅"用来限定范围，整个结构说明在较小的范围，某种事物已经达到较多的数量。"仅"是书面语，口语中多用"光"。例如：

① 一个多么慷慨的世纪，仅粗略一数就知道它给人类留下了如此多的东西。

② 现在生活费很高，上个月仅电话费就花了 500 元。

③ 这次参加展览的厂家很多，仅一楼大厅就有 200 家。

④ 完成这篇论文用了他很长时间，仅收集材料就花了一年。

（二）"仅"后面加数量词语，说明需要的时间短或数量少。例如：

① 仅十天就完成了这项任务。

② 仅八十元就买下了这件衣服。

语言点练习

一 用所给的词语完成对话或句子：

1. 我复印了不少资料，＿＿＿＿＿＿＿＿＿＿＿＿＿＿＿。（以便）

2. 人类发射了很多人造卫星，＿＿＿＿＿＿＿＿＿＿＿＿。（以便）

3. 我都等你半天了，＿＿＿＿＿＿＿＿＿＿＿＿＿？（究竟）

4. ＿＿＿＿＿＿＿＿＿＿＿＿＿？真让人莫名其妙。（究竟）

5. A：你为什么学汉语？

　　B：＿＿＿＿＿＿＿＿＿＿＿＿＿。（为……而……）

6.A：他为什么住进了疗养院？

　　B：_____。（为……而……）

7.中国在唐朝时吸收了大量外来文化，_____。

　　　　　　　　　　　　　　　　　　　　　　　　　（从而）

8.我们在中国西部农村呆了一个月，_____。

　　　　　　　　　　　　　　　　　　　　　　　　　（从而）

9.A：参加这次运动会的运动员多吗？

　　B：很多，_____。（仅……就……）

10.学校附近书店很多，_____。（仅……就……）

11.我家离机场很近，开车_____，（仅……

　　就……）

二 用本课重要的语言点造句：

以便

究竟

为……而……

从而

仅……就……

综合练习 ●

一 这篇课文用讽刺的语气提出了一个严肃的问题，请你根据课文内容，改用严肃的语气，用"20 世纪给我们留下了什么？"作题目，写一段话，来说明 20 世纪对环境和人类自身的伤害。请使用下面的词语：

世界大战　造成　哭泣　核弹头　毁灭　爆炸　森林　沙漠　天气　污染
河流　湖泊　疗养院　宇宙垃圾　上帝　究竟　从而

二 朗读下面这两段课文，特别注意黑体字在文章中的作用：

　　10 多亿公顷的森林变成了平地和沙漠，是 20 世纪的又一大"功劳"，也是它留给 21 世纪人类的一笔可观的不动产。**没有了**这些森林，人类**也就**少了许多的麻烦，**就会**很少再遇到多云、多雾以及细雨绵绵的天气；**沙漠面积大了**，人们**就会**更方便地欣赏到沙漠里的海市蜃楼，**就会**不停地听到驼铃的丁当声；**平地面积多了**，人们的视野**就会**更加开阔，**就会**看到大地尽头美妙的风景。

　　几千条污染了的河流和几百个污染了的湖泊，是 20 世纪留下的又一笔"遗产"。有了**这笔遗产**，21 世纪的人们**就**不必再到那些河湖里捕鱼，**从而也就**少了制造渔船和渔网的麻烦。**有了这笔"遗产"**，许多人**就**不必再学游泳，**从而也就**少了被水淹死的危险。**有了这笔"遗产"**，许多人**就**可以为一种莫名其妙的小病而住进美丽的疗养院，**从而**把繁重的工作摆脱掉。

三　对课文中提出的这些 20 世纪遗留下来的问题，你认为我们应该怎么解决？请你提出一个解决问题的方案，并仿照上面两段课文中黑体字的连接方法，写成一段话：

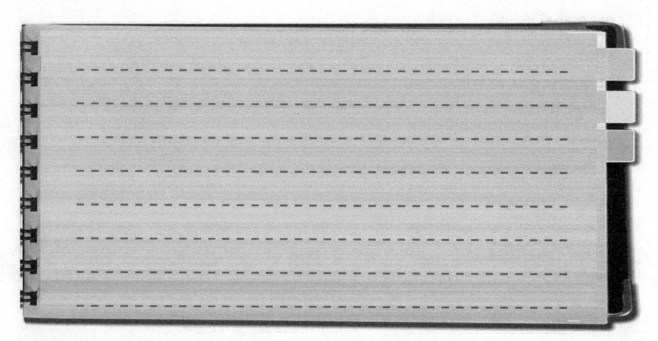

明天的寓言

　　从前，有一个小镇，这里的风景非常美丽。小镇周围是广阔的田野，清澈（qīngchè）的河流穿过无边的稻田，平静的湖泊中开满了荷花（héhuā），鱼儿在荷叶下游来游去。到了秋天，很多水鸟不约而同地飞到湖上来过冬，从而使这里成为鸟的王国。稻田的尽头，是美丽的远山，山下有大片的果园。到了春天，果树开满了花，红的像火，白的像雪，花下蜜蜂和蝴蝶飞来飞去，充满（chōngmǎn）生机。山上是茂密（màomì）的森林，在那里，人们常常会看到活泼的小鹿（lù）和山羊。

　　多年来，这里一直是这个样子。直到有一天，小镇上建起了第一个造纸厂。山上的树木进入工厂，转眼变成雪白的纸张，这让人们大开眼界。从这时起，小镇上人们的生活开始发生变化。各种工厂越建越多，给小镇带来大笔财富，种田的农民也有更多的钱去买化肥（huàféi）和杀虫剂（shāchóngjì），从而使农产品的产量大大提高。人们开始有了电视、冰箱，家家都盖起了小楼，买了汽车。他们通过电视广告，让更多的人知道这里有美丽的风景，丰富的资源，于是，假日里，就有很多游客开车到这里，欣赏风景、捕鱼、打猎（dǎ liè）、吃野味（yěwèi），水鸟、小鹿和山羊都上了人们的餐桌。人们都说，他们的生活质量提高了。

　　然而，周围的环境在慢慢改变，先是空气不再新鲜，多雾的天气越来越多，就是在晴朗的日子里，也难得看到蓝天。后来河流也不再清澈，河里的脏水发出难闻的气味，湖泊受到污染，不能再游泳，人们常常可以看到漂在湖上的死鱼和死在湖边的水鸟。慢慢地，人们

清澈：水很清。

荷花：水中开的一种美丽的花。lotus

充满：到处都是。

茂密：植物多而密。

鹿：山里的一种小动物，有角。deer

化肥：化学肥料。

杀虫剂：杀虫子用的化学品。

打猎：到树林或大山里追杀动物。

野味：用山里的动物做成的食物。

不再能看到美丽的荷花，不再能听到鸟的歌唱。

　　果园里的果树开花了，可是人们在花下看不到蜜蜂和蝴蝶。曾经是那么茂密的森林，现在已经完全变了样，有一半的树已经变成了纸张，另外一半像生了重病一样，在慢慢落叶、枯萎（kūwěi）甚至死亡，森林里不再有小鹿和山羊，就是兔子也看不见一只，到处都很安静。人们感到一种说不出的孤独和寂寞。

　　慢慢地，小镇里开始出现一些莫名其妙的疾病，开始是家畜（jiāchù），鸡、猪、牛、羊突然成批死亡，后来一种可怕的传染病（chuánrǎnbìng）开始流行，得了这种病，人在高烧几天之后，就会死去。医生们发现，这是一种全新的疾病，找不到病因，也无法治疗，就是医生，也有很多被传染。人们感到非常害怕，开始猜测这疾病究竟是怎么引起的。有人说是因为空气和水污染造成的，也有人说是因为化肥和杀虫剂引起的，有人说，是鸡肉出了问题，也有人说是野味引起了这种可怕的疾病，因为据说小镇里第一个得这种病的人，就是野味餐馆的厨师。不管怎么样，反正小镇的人们已经得到警告，不要再吃河里的鱼、树上的鸟和山里的小鹿。吃饭前要洗手，上街要戴口罩（kǒuzhào）。于是，在五月的阳光里，小镇的街上到处都是戴口罩的人们。

　　人们的生活质量究竟是提高了还是降低了？人们住上了高楼，开上了汽车，可是他们甚至失去了自由呼吸的权利！

　　这一切究竟是谁造成的？这是每个人都在思考（sīkǎo）的问题。

　　上面说的只是一个寓言（yùyán），也许没有一个地方出现过所有这些灾难，但在世界上，你不难找到发生上面说的一种或几种灾难的地方。相信总有一天，人们会发现自己只是自然的一个部分，破坏自然，就等于毁灭人类自己。

枯萎：植物慢慢变干。

家畜：人工养的鸡、猪、牛、羊等动物。

传染病：可以在人或此物中传播的病。

口罩：为了防寒或防病而在嘴上戴的布或纸制品。

思考：认真想。

寓言：思想深刻的故事。

副课文练习

一 阅读文章，描述一下小镇前后的变化：

1. 从前，有一个小镇，这里的风景非常美丽。小镇周围是_____，清澈的河流_____，平静的湖泊中_____，鱼儿在荷叶下_____。到了秋天，很多水鸟_____。稻田的尽头，是_____，山下有_____。到了春天，果树_____。山上是_____，在那里，人们常常会看到_____。

2. 周围的环境在慢慢改变，先是空气_____。后来河流也_____，湖泊_____。慢慢地，人们不再能看到美丽的荷花，不再能听到鸟的歌唱。

果园里的果树开花了，可是人们在花下看不到_____。曾经是那么茂密的森林，现在已经_____。森林里不再有_____，到处都很安静。人们感到一种说不出_____。

二 根据文章内容的回答问题：

1. 你认为小镇上人们的生活质量提高了还是降低了？为什么？

2. 你认为小镇后来的问题究竟是谁造成的？

3. 在你生活的地方发生过像小镇里出现过的那些问题吗？如果有，请你讲一讲。

4. 这篇寓言还让你想到了什么？

鸟声的再版

这篇课文谈的是人对自然的感受。请预习课文，并试着回答下面的问题，看看课文的生词表里，有没有你需要的词语。

1 根据课文，清晨、午后、黄昏和夜晚分别应该到什么地方去录音？你会录下什么声音？这些声音像哪种音乐？这些音乐可以用什么词语来形容？请你把下表中对应的条目连线。

时间	地点	录下的声音	音乐类型	词语
清晨	海边	鸟声和虫声	室内乐	雄壮
午后	湖边的田野	蝉声	歌唱比赛	充满了激情
黄昏	海边的树林中	海潮的声音	独奏	轻缓而温和庄严
		虫声和蛙声	教堂里的合唱	细腻而美丽
夜晚	溪流边的茂密林间	海鸥的叫声	交响乐	冲突的美感
	竹林里	风声	双重奏	单纯而丰满

2 你觉得这篇文章是什么风格的？（可以多选）

   A 书面的　　　　B 口语的　　　　　C 文学的

   D 幽默的　　　　E 美丽的

鸟声的再版

有时候带着一部录音机可以做很多事。

清晨，我们可以在靠近海边的树林中录音，最好是太阳刚刚要升起的瞬间，林中的虫和鸟陆续醒来，林间充满了不同的叫声，吱吱喳喳的。而太阳升起的那一刻，不但风景被唤醒，鸟和虫也都唱出了欢乐的歌声，这早晨在海滨录下的鸟声，仿佛是一个大型交响乐团演奏的雄壮的乐曲。

午后最好去哪里录音呢？我们选择溪流边的茂密的森林。那是夏天蝉声最响的时候。夏天的蝉声听起来仿佛是一场庞大的歌唱比赛，每一只蝉都尽情地展示着自己的歌喉，偶尔会听见一只特别会唱的蝉把声音拔到最高，像高音歌唱家一样充满了激情。

黄昏时，我们到海边去录音。海潮的节奏是轻缓而温和的，仿佛是教堂里庄严的合唱，偶尔会传来海鸥的叫声，这时最像室内乐了，变化不是太大，但却有一种细腻而美丽的风格。

夜晚的时候就要到湖边的田野去了。晚上的虫声与蛙鸣一向最热闹，尤其是在繁星满天的夜晚，它们发出的声音，可以说是双重奏。在生活上，它们互相吞吃或逃避，发出的声音，反而有一种冲突的美感。如果不喜欢交响乐、合唱团、室内乐、双重奏，而偏爱独奏的话，何不选择有风的时候到竹林里去？在竹林里录下的风声，使我们知道为什么许多乐器用竹子做材料，风穿过竹林，本身就是一种单纯而丰满的音乐。

在旅行、采访的途中，我都会随身带着录音机，录音的主要对象当然是人，但也常常录下一些自然的声音，鸟的歌唱、虫的低语、海的潮声、风的呼号……，这些自然的声音在录音机里显出它特别的美丽，它是那样自由，却又有一定的结构；它是那样无为，却又充满活力；它是那样单纯，却有着细腻的变化。每一次听的时候，我仿佛又回到自然的现场，坐在林间、山中、海滨、湖边，随着声音，整个风景重现了，使我清楚地回忆起那一次旅程停留过的地方和遇见的朋友。

　　常常，我把清晨的鸟鸣放入录音机，调好自动跳接的时间，然后安然睡去，第二天我就会在繁鸟的欢呼中醒来，感觉就像睡在茂密的林间。蝉声也是如此，在录音机的蝉声中睡醒，使我想起童年时代的午睡，睡在系在树上的吊床上，一醒来，蝉声总是充满耳际。

　　这些声音的再版，还能随着我们的心情调大调小，在我们心情愉快时，听起来就像大自然为我们欢唱，在我们悲伤时，听起来仿佛它也在悲伤。其实，它们是一种广大而永恒的背景，让我们能在其中深思并反省。

（作者：林清玄，有删改）

词语表

1	再版	zài bǎn	【动】	书刊第二次出版或印刷 to reprint, to republish
				◎ 最近，他的书又再版了。
2	充满	chōngmǎn	【动】	到处都是、完全占满 to be full of, to fill with
				◎ 屋子里充满了咖啡的香味。　◎ 心里充满了欢乐／感激。
3	吱吱喳喳	zhīzhīzhāzhā	【象声】	很多鸟发出的叫声 *lots of birds chirping*
4	陆读	lùxù	【副】	一个接一个地 one afere another, in succession
5	唤醒	huànxǐng	【动】	把正在睡觉的人叫醒，书面语 to waken
				◎ 每天清晨，妈妈都在音乐声中把我唤醒。
6	海滨	hǎibīn	【名】	靠近海的陆地 seashore, seaside
				海滨疗养院　海滨城市
7	仿佛	fǎngfú	【副】	好像，书面语 as if
				◎ 温暖的春风仿佛是母亲的手。
8	交响乐	jiāoxiǎnglè	【名】	symphony
				雄壮的交响乐
9	演奏	yǎnzòu	【动】	用乐器表演 to perform, to play
				◎ 他们演奏了贝多芬的第五交响乐。
10	雄壮	xióngzhuàng	【形】	（乐曲等）充满力量和激情 full of power and grandeur
				雄壮的乐曲

11	溪流	xīliú	【名】	小的河流 brook, rivulet
	小溪			

12	茂密	màomì	【形】	树木长得又多又密 exuberant, flourishing
	茂密的森林			

13	蝉	chán	【名】	夏天在树上叫的一种昆虫 cicada

14	庞大	pángdà	【形】	指规模、数量或程度大大超过通常的范围或标准 enormous
	庞大的企业　庞大的机构			

15	尽情	jìnqíng	【副】	完全自由地 farthest
	◎ 假期里，孩子们尽情地玩耍。			

16	展示	zhǎnshì	【动】	主动拿出来让人看 to show
	◎ 展览会上，很多厂家展示了最新产品。			

17	歌喉	gēhóu	【名】	指唱歌人的声音，也指歌声 singer's voice
	◎ 这里可以唱卡拉OK，请大家上来一展歌喉。			

18	潮	cháo	【名】	海水的涨落 tide
	涨潮　退潮			

19	轻缓	qīnghuǎn	【形】	动作或节奏又轻又慢 light and slow
	轻缓的音乐　轻缓的脚步			

20	温和	wēnhé	【形】	平和，不厉害 kindly, gentle, mild
	◎ 他的态度/语气/性格很温和。　◎ 昆明的气候很温和，不冷也不热。			

21	教堂	jiàotáng	【名】	church
	◎ 他每个星期天都去教堂做礼拜。			

22	庄严	zhuāngyán	【形】	严肃而崇高 solemn, dignified, stately
	庄严的神情　庄严的气氛			
	教堂里庄严的合唱			

23	海鸥	hǎi'ōu	【名】	海上常见的一种海鸟 sea gull

24	室内乐	shìnèiyuè	【名】	chamber music

25	细腻	xìnì	【形】	细致，精细，深入 fine, minute
	◎ 她的性格/表演/描写很细腻。			

26	风格	fēnggé	【名】	艺术形式或人做事的方式 style
	◎ 这个作家作品的风格非常独特。　◎ 各种风格的音乐我都喜欢。			
	◎ 他做事的风格很干脆。			

27	田野	tiányě	【名】	田地野外 field
28	蛙鸣	wāmíng	【名】	青蛙的叫声
		蝉鸣　鸟鸣		
29	繁星	fánxīng	【名】	很多星星
30	双重奏	shuāngchóngzòu	【动】	两个人各持乐器，共同配合演奏 instrumental duet
31	逃避	táobì	【动】	逃走避开；躲开不愿意或不敢面对的事物 to escape, to evade, to avoid

◎ 你不应该逃避现实／困难，你应该勇敢地面对。

| 32 | 冲突 | chōngtū | 【动】 | 互相对立 to conflict |

◎ 我打工的时间和上课的时间冲突了。

◎ 十几岁的孩子和父母之间常常会有／发生冲突。

| 33 | 偏爱 | piān'ài | 【动】 | 在几个事物中特别喜爱其中的一个 to show favoritism to sb./sth |

◎ 妈妈很偏爱小儿子／那件红色的毛衣。

| 34 | 独奏 | dúzòu | 【动】 | 通常指一个人用一种乐器演奏，有时也有其他乐器为其伴奏 solo |
| 35 | 单纯 | dānchún | 【形】 | 简单，不复杂 simple, pure |

◎ 他的性格／思想／目的很单纯。

| 36 | 丰满 | fēngmǎn | 【形】 | 充足，达到所需要的程度或人体胖得适度好看（多用于女性）full, plump |

◎ 他作品里人物的形象很丰满。　◎ 他的妻子很丰满，而他则很瘦小。

| 37 | 采访 | cǎifǎng | 【动】 | 记者为采集新闻和人们谈话 to gather news, to interview |

◎ 作为记者，我常常到各地去采访。　◎ 去年夏天，我采访过她。

| 38 | 无为 | wúwéi | 【动】 | 道家思想，指要顺其自然，没必要有所作为 letting things take their own course |

◎ "无为"是道家重要的思想之一。

| 39 | 活力 | huólì | 【名】 | 生命力 vigor, vitality, energy |

◎ 他的生活／他在工作中充满活力。

| 40 | 现场 | xiànchǎng | 【名】 | 事件或行动发生的地点 site scene of an accident |

◎ 打过电话后三分钟，警察就赶到了现场。

| 41 | 童年 | tóngnián | 【名】 | 小时候 childhood |

◎ 每个人都觉得自己的童年非常美好。

| 42 | 吊床 | diàochuáng | 【名】 | 两头儿挂在固定物体上的软床 hammock |

| 43 | 调 | tiáo | 【动】 | 弄合适 to suit well |

◎ 请你把收音机的声音调小点儿。

| 44 | 悲伤 | bēishāng | 【形】 | 难过，书面语 sad, sorrowful |

| 45 | 永恒 | yǒnghéng | 【形】 | 永远不变，永远存在 permanent, everlasting, perpetual |

◎ 在这个世界上，没有一样东西是永恒的。

| 46 | 背景 | bèijǐng | 【名】 | background |

事情的背景　作品的背景　有背景　背景音乐

| 47 | 反省 | fǎnxǐng | 【动】 | 回头检查自己的内心和言行 to introspect |

◎ 每个人都应该常常反省自己。

词语辨析

1. 悲伤　痛苦

两个词语都是形容词，都表示一种难受的感觉。"悲伤"侧重于内心的难过，如：父亲去世三年了，我还没有完全从悲伤中走出来。"痛苦"除可以表示内心的难过，还可以表示身体的难受。如："最近天天晚上失眠，非常痛苦。"这时不能用"悲伤"代替。

2. 雄伟　雄壮

两个词都是形容词，都含有"阳刚之美"的语义，但是"雄伟"多用于视觉上具有阳刚之美的事物，如：雄伟的长城、雄伟的天安门、雄伟的泰山等；而"雄壮"则多用于听觉上具有阳刚之美的事物，如：雄壮的交响乐、雄壮的乐曲等。

3. 偶尔　偶然

两个词的语义侧重点不同。"偶尔"是从事情发生的数量方面来说的，指次数少，与"经常"相对，如："我们不常见面，只是偶尔打个电话。""偶然"是从事情发生的几率来说的，指发生的几率小而发生了，与"必然"相对。例如："我和我的女朋友是偶然认识的，我去图书馆借书，她那时正好在图书馆实习。"

　　另外，"偶然"除了作副词外，还可以作形容词，如："甲骨文的发现很偶然。""偶尔"是副词，没有这种用法。

词语练习

（一）根据拼音写出汉字，然后把它们填在合适的句子里：

> tiáo　huànxǐng　hǎibīn　tóngnián　zhuāngyán　bēishāng　wúwéi　qīnghuǎn

1. 在我（　）的时候，每天清晨，妈妈都在（　）的音乐声中把我（　）。

2. 今年夏天天气很炎热，所以很多人到（　）去度假。

3. 心情（　）的时候，我很喜欢听教堂里（　）的音乐。

4. 电视机声音太大了，请你（　）小一点儿。

5. 中国道家（　）的思想对中国人的影响很大。

> ǒu'ěr　fǎngfú　piān'ài　wēnhé　cǎifǎng　fēnggé　màomì

6. 山上（　）的森林里有许多小鹿和野兔。

7. 一般说来，父母总是（　）最小的孩子。

8. 湖里荷花发出的淡淡清香，（　）远处高楼上（　）传来的歌声。

9. 地震发生当天，他就去现场（　）了。

10. 新上任的总理，看上去性格很（　），其实他办事（　）非常强硬。

> fēngmǎn　xióngzhuàng　bèijǐng　xìnì　chōngtū　dānchún

11. 老舍先生的名著《四世同堂》是以抗日战争为（　）的。

12. 贝多芬（Beethoven）在创作（　）的《第九交响乐》时，两耳已经听不到声音了。

13. 她刚从学校毕业，没什么社会经验，思想很（　）。

14. 她在影片中的表演很（　　），从而使她拿到了今年的最佳女演员奖。4

15. 电视上说，这两个国家的（　　）有升级的可能。5

16. 我觉得，长得（　　）一点儿没有什么不好。1

二　把下面的词语填在最合适的句子中：

shu shung

| 1 | 2 | 3 | 4 | 5 | 6 |

悲伤　痛苦　雄伟　雄壮　偶尔　偶然

1. 中国北方有很多（ 3 ）的高山，其中泰山最有名。

2. 在昨天晚上的音乐会上，他们演奏了（ 4 ）的《黄河大合唱》。

3. 最近每天都要早起，真是（ 2 ）死了！

4. 我不太喜欢看（ 1 ）的戏剧。

5. 秦始皇兵马俑的发现很（ 6 ），是农民打井时发现的。

6. 我一般吃中餐，只是（ 5 ）吃一顿西餐。

三　在下面的形容词后填上合适的名词，然后用这个搭配造一个句子：　Benzishang

茂密的（　　）　　庄严的（　　）　　雄壮的（　　）

轻缓的（　　）　　永恒的（　　）　　温和的（　　）

庞大的（　　）　　单纯的（　　）　　细腻的（　　）

四　查字典，看看下面词语和其中的黑体字是什么意思，然后再写出两个由这个黑体字组成的词语：　benzi shang.

悲伤　悲痛　　_____　　_____

大型　小型　　_____　　_____

欢愉　欢呼　　_____　　_____

雄壮　强壮　　_____　　_____

双重奏　演奏　　_____　　_____

语言点

1 偶尔

● 每一只蝉都尽情地展示着自己的歌喉，偶尔会听见一只特别会唱的蝉把声音拔到最高，像高音歌唱家一样充满了激情。

"偶尔"，副词，有"有时候"的意思，表示情况不是经常出现。例如：

① 那天早晨，雪很大，路上行人很少，偶尔有几个锻炼身体的人从我身边跑过。

② 我们虽然都在北京留学，可是并不常见面，只是偶尔打个电话。

2 一向

● 晚上的虫声与蛙鸣一向最热闹。

"一向"，副词，表示某种行为或情况一直是这样，后面多跟动词或形容词性成分，表示习惯性行为或对事物的评价。例如：

① 我们一向星期五下午开会。

② 她一向不吃羊肉。

③ 他们的关系一向很紧张。

3 尤其

● 晚上的虫声与蛙鸣一向最热闹，尤其是在繁星满天的夜晚。

"尤其"，副词，多用在下面两种句型中：

（一）……，尤其＋动/形

（二）……，尤其是……

表示在全体中，某一类事物和其他事物相比，在某一方面特别突出。例如：

① 日本的东西特别贵，大阪的东西尤其贵。

② 多喝酒对身体不好，尤其影响心脏。

③ 我喜欢吃水果，尤其是草莓。

4 反而

● 在生活上，它们互相吞吃或逃避，发出的声音，反而有一种冲突的美感。

"反而"是副词，用在句子的后半部分或后一个小句中，表示事情的结果和前文情况下一般会出现的情形相反。例如：

① 春天来了，天气反而更冷了。

② 父母费尽心机起的名字反而成了个大麻烦。

5 何不

● 如果不喜欢交响乐、合唱团、室内乐、双重奏，而偏爱独奏的话，何不选择有风的时候到竹林里去？

"何不"是"为什么不"的意思，是在某种情况下，用反问的口气向别人提出一个建议。

例如：

① A：过春节时，天气很冷，天天呆在家里，很无聊。

　　B：那你何不去海南过春节？

② 你想学好英语，何不去英国住上一年？

语言点练习

Benzi shung

一 用所给词语完成对话或句子：

1. 我们不常见面，只是＿＿＿＿＿＿＿＿＿＿＿。（偶尔）*ou er* once in a while

2. A：你经常锻炼吗？

　　B：＿＿＿＿＿＿＿＿＿＿＿。（偶尔）

3. A：你周末一般做什么？

　　B：我一般＿＿＿＿＿＿＿＿，＿＿＿＿＿＿＿＿。（偶尔）

4. A：你是什么时候开始不吃肉的？

　　B：＿＿＿＿＿＿＿＿＿＿＿。（一向）*yi xiang* always; earlier on

5. A：他为什么总住在疗养院？

　　B：＿＿＿＿＿＿＿＿＿＿＿。（一向）

6. A：听说这个地方的物价很高。

　　B：是啊，＿＿＿＿＿＿＿＿＿＿＿。（尤其）*you qi* especially

7. A：你有什么爱好？

　　B：＿＿＿＿＿＿＿＿＿＿＿。（尤其）

8. 他们发生一次冲突后，_____。

（反而）

9. A：公司改革后情况怎么样？

B：_____。（反而）

10. A：最近我心情一直不太好。

B：_____？（何不）

11. A：学校餐厅的饭我都吃腻了。

B：_____？（何不）

二　你用本课重要的语言点造句：

偶尔

一向

尤其

反而

何不

综合练习

一　请你读下面课文中的句子，注意黑体字的使用，并试着讨论这些词语中"而"的用法：

1. 风穿过竹林本身就是一种**单纯而丰满**的音乐。
2. 海潮的节奏是**轻缓而温和**的。
3. 变化不是太大，但却有一种**细腻而美丽**的风格。
4. 它们是一种**广大而永恒**的背景。

二　受到中国古代诗歌的影响，汉语中有时会使用一组结构近似的词语或句型，使文章产生一种"对称"的美感。大声朗读下面一段课文，注意体会黑体字部分词语的节奏和整个段落的美感：

在旅行、采访的途中，我都会随身带着录音机，录音的主要对象当然是人，但也常常录下一些自然的声音，**鸟的歌唱、虫的低语、海的潮声、风的呼**

号……，这些自然的声音在录音机里显出它特别的美丽，它**是那样**自由，**却又**有一定的结构；它**是那样**无为，**却又**充满活力；它**是那样**单纯，**却有**着细腻的变化。每一次听的时候，我仿佛又回到自然的现场，坐在**林间**、**山中**、**海滨**、**湖边**，随着声音，整个风景重现了，使我清楚地回忆起那一次旅程停留过的地方和遇见的朋友。

三　你仔细听过大自然的声音吗？请你写一段 150 字— 200 字的话，来讲一讲当时的情况，请尽量使用课文里学过的词语和语言点：

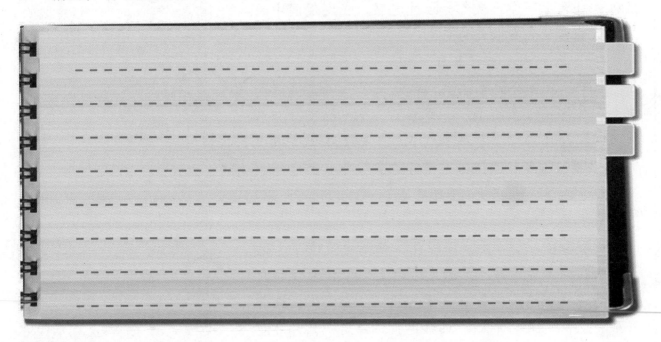

四　你喜欢音乐吗？请你尽量使用下面的词语，围绕音乐这个话题写一段 150 字—
　　200 字的话：

symphony	chamber music	solo	give an instrumental performance	duet	chorus	background benzi shang
交响乐	室内乐	独奏	演奏	双重奏	合唱	背景
to prefer / Full of power	powerful / huge	light and slow	temperate	solemn dignified	style manner	simple pure
偏爱 雄壮	庞大	轻缓	温和	庄严	风格	单纯
plentiful fill	fine smooth sad	eternal	seemingly	always	especially
丰满 充满	细腻 悲伤	永恒	仿佛	一向	尤其

风格

园中四季

　　我家附近有一个很大的公园，里面有大片茂密的竹林。每天上下学，我都会经过这里。我发现园中的景物随着季节会有很大的变化。

4月8日　春

　　上午，我去公园里散步。春天来了，风变得温和起来，仿佛是母亲的手。小草绿了，花儿红了，湖水蓝了，柳树（liǔshù）发芽了，小鸟开始吱吱喳喳地欢唱，人们也都出来了。真是"满园春色关不住"啊。

柳树：willow tree

5月15日　夏

　　上学路上，我经过公园。

　　夏天来了，小草变成深绿色，柳树更茂密了，远远望去，仿佛是女孩子的长发。树上偶尔传来蝉的叫声，好像是高音歌唱家在展示着歌喉。湖面上，漂着星星点点（xīngxīngdiǎndiǎn）的睡莲，仿佛是一只只可爱的小白船。特别令人惊喜的是竹林的土里，冒（mào）出了一个个小竹笋（zhúsǔn），棕色的外衣，尖尖的身体，真是可爱极了。

　　夏天，到处充满了生机。

星星点点：分散地点缀着。

睡莲：water lily

冒：向外出来。

竹笋：bamboo shoot

10月12日　秋

　　放学回家的路上，我和妈妈经过公园。

　　秋天来了，树叶变得五彩缤纷（wǔcǎi bīnfēn），金黄、火红的的叶子点缀在绿树中间，地上铺满了落叶，仿佛是金黄的地毯。有不少人在树下捡着银杏果。

　　池塘里，荷花早已凋谢（diāoxiè），荷叶也开始枯萎，一枝枝绿色的小伞变成了一枝枝棕黄色的小伞，在风中摇动。

五彩缤纷：各种颜色非常美丽。

凋谢：花落。

妈妈说："秋天是叶子的季节。"可是公园西门口，有很多黄灿灿的菊花（júhuā）正在盛开。看起来，秋天虽然花不多，可是还是显出特别的美丽。

12月3日　冬

昨天，我刚一出家门，就发现外边一片洁白。哇！下雪了！洁白的雪花一片片飘落下来，整个世界银装素裹（yín zhuāng sù guǒ）。真是"忽如一夜春风来，千树万树梨花开"。

今天，天晴了，我从阳台往下看，看见公园里的雪化得只剩下一点儿了，可是十分漂亮，还没化的雪在绿树上，仿佛是抹茶（mǒchá）蛋糕一样，看着非常可口！

我听过一首诗：

春有百花秋有月，

夏有凉风冬有雪，

心里若无烦恼事，

四时皆是好时节。

不知不觉，园中已经经历了四季，人生也是如此，在每一个季节都应该过得很愉快、很充实。

（作者：刘天济，有删改）

菊花：chrysanthemum

银装素裹：变成白色。

抹茶：磨碎的绿茶。

可口：好吃。

若 ruò：如果。

皆 jiē：都。

 副课文练习

一 阅读文章，找出和四季有关的关键词语：

春天：

夏天：

秋天：

冬天：

二 根据文章，描述一下四季的变化：

1. 春天来了，风＿＿＿＿＿＿＿。小草＿＿＿＿＿＿，花儿＿＿＿＿＿
＿＿＿＿，湖水＿＿＿＿＿＿，柳树＿＿＿＿＿＿，小鸟＿＿＿＿＿＿，
人们＿＿＿＿＿＿。真是"满园春色关不住"啊。

2. 夏天来了，小草＿＿＿＿＿＿，柳树＿＿＿＿＿＿，仿佛是＿＿
＿＿＿＿＿。树上偶尔＿＿＿＿＿＿。湖面上，＿＿＿＿＿＿＿＿。
特别令人惊喜的是＿＿＿＿＿＿。

夏天，到处充满了＿＿＿＿＿＿。

3. 秋天来了，树叶变得＿＿＿＿＿＿。

池塘里，荷花＿＿＿＿＿＿，荷叶＿＿＿＿＿＿＿。

妈妈说："秋天是＿＿＿＿＿＿的季节。"可是公园西门口，有很多
＿＿＿＿＿＿正在盛开。

4. 昨天，我刚一出家门，就发现外边一片洁白。哇！＿＿＿＿＿＿！
＿＿＿＿＿＿＿＿，整个世界＿＿＿＿＿＿。真是"忽如一夜春风来，
千树万树梨花开"。

今天，天晴了，我从阳台往下看，看见＿＿＿＿＿＿，＿＿＿＿＿＿。

三 你最喜欢哪个季节？请参考上题的格式，描述一下你喜欢的季节。

我的梦想

预习

　　这篇课文从梦想和局限的话题入手，讨论了人生的价值和意义。请你预习课文，然后根据课文内容填空，看看课文的生词表里，有没有你需要的词语：

1　作者虽然腿有_____，却是个_____，他喜欢看电视上的各种_____。

2　他最喜欢的体育项目是_____，刘易斯是他的_____，他相信刘易斯是世界上最_____的人。

3　但是，在_____上，刘易斯却_____了约翰逊，这使作者感到_____。

4　他明白，即使一个人能跑出九秒五九，也仍然意味着_____。幸福要在_____自我局限的道路上去理解。

5　最后，作者希望来世既有一个_____的身体，又有一个懂得人生意义的_____。

课文

我的梦想

　　也许是因为人缺了什么就更喜欢什么吧，我虽然两条腿有残疾，却是个体育迷。我不光喜欢看足球、篮球以及其他各种球类比赛，也喜欢看田径、游泳、拳击、滑冰、滑雪、自行车和汽车比赛，总之，我是个全能体育迷。当然都是从电视上看，体育场馆门前都有很高的台阶，我上不去。如果某一天电视里有精彩的体育节目，我一天当中无论干什么心里都想着它，一分一秒都过得很愉快。

　　我最喜欢田径。我能说出所有田径项目的世界纪录是多少，是由谁保持的，保持的时间是长还是短。这些纪录是我顺便记住的，田径运动的魅力不在于纪录，而在于它能充分展现出人的力量、意志和优美。因此，在我看来，它比任何舞蹈都好看。看一些世界著名运动员奔跑，你会觉得他们是从人的原始跑来，向人的未来跑去，这样的奔跑是最自然的舞蹈和最自由的歌。

　　我最喜爱和羡慕的人是刘易斯，他是我心中的偶像。他身高一米八八，长得肩宽腿长，随便一跑就是十秒以内，随便一跳就在八米开外，而且在最重要的比赛中，他的动作也是那么潇洒。有时候，我真恨不得马上变成他，因此，我常暗自祈祷，假若人真能有来世，我不要求别的，只要求有刘易斯那样一副健美的身体就好。我之所以有这样的白日梦，是因为现实中的这个我太令人沮丧，才想出这个法子来给自己一点儿安慰。总之，我对刘易斯的喜爱和崇拜与日俱增，相信他是世界上最幸福的人。

　　奥运会上，刘易斯输给约翰逊的那个中午我沮丧极了，直到晚上心里还是别别扭扭的，夜里也没睡好觉。眼前老出现中午的场面：所有的人都在向约翰逊欢呼，所有的旗帜与鲜花都在向约翰逊挥舞，浪潮般的记者们簇拥着约翰逊走出赛场，而刘易斯则被冷落在一旁。一连几天我都闷闷不乐，我似乎比刘易斯还败得惨。这不是怪事吗？在外人看来这不是精神病吗？我慢慢去想其中的

原因。到底为什么呢？最后我知道了：我看见了所谓"最幸福的人"的不幸，刘易斯那茫然的目光使我的"最幸福"的概念完全动摇了。上帝从来不给任何人"最幸福"这三个字，他在所有人的欲望前面设下永恒的距离，公平地给每一个人以局限。如果不能在超越自我局限的无尽路途上去理解幸福，那么我的不能跑与刘易斯的不能跑得更快就完全等同，都是沮丧与痛苦的根源。假若刘易斯不能懂得这些事，我相信，在那个中午，他一定是世界上最不幸的人。

在百米决赛后的第二天，刘易斯在跳远比赛中跳出了八米七二，他是好样的。看来他懂，他知道奥林匹斯山上的圣火为何而燃烧，那不是为了一个人把另一个人打败，而是为了有机会表现人类的不屈。命定的局限虽然永远存在，但是不屈的挑战却也从未缺席。

这样一来，我的白日梦就需要重新设计一番了。至少我不再愿意用我领悟到的这一切，仅仅去换一个健美的身体，原因很简单，我不想在来世的某一个中午成为最不幸的人。即使人可以跑出九秒五九，也仍然意味着局限。我希望既有一个健美的身体，又有一个领悟了人生意义的灵魂。但是，前者可以向上帝祈祷，后者却必须在千难万苦中靠自己去获得。

（作者：史铁生，有删改）

| 1 | 残疾 | cánjí | 【名】 | 身体某部分或其生理功能上的缺陷 deformity, disability |
| | | | | 残疾人 ◎ 他的身体有残疾。 |

| 2 | 体育迷 | tǐyùmí | 【名】 | 狂热爱好体育运动或喜欢看体育比赛的人 sprorts fan |
| | | | | ◎ 他是一个体育迷，喜欢看各种体育比赛。 |

| 3 | 田径 | tiánjìng | 【名】 | 田赛和径赛运动项目的统称，包括各种跳跃、投掷、赛跑和竞走等 track and field |
| | | | | 田径比赛　田径运动会 |

| 4 | 拳击 | quánjī | 【动】 | 一项体育运动，两人戴着特制的皮手套，用双拳攻击和防卫对方 to box; boxing |
| | | | | ◎ 我不喜欢看拳击比赛。 |

5	滑冰	huá bīng		穿着冰鞋在冰上滑行的一种体育运动；泛指在冰上滑行的动作 ice-skating

◎ 我以前没有滑过冰。◎ 我最喜欢的体育运动是滑冰。

6	全能	quánnéng	【形】	在规定的范围内样样都行 all-around, be all powerfull

五项全能冠军

7	项目	xiàngmù	【名】	事物按性质分成的类 item

体育项目　比赛项目　工程项目

8	纪录	jìlù	【名】	在一定时期和范围内记载下来的最好成绩 record

◎ 他打破了由他自己保持的世界纪录。

9	保持	bǎochí	【动】	使某种状态不消失或减弱 to keep, to remain, to hold (a record)

保持安静　保持中立　世界纪录保持者

10	顺便	shùnbiàn	【副】	做某事时顺带着做另一事，不是特地做的 in passing, at one's convenience

◎ 回家的路上，我顺便去了趟超市。

11	魅力	mèilì	【名】	强大的吸引力 fascination, charm

Can say for people, things, places....

◎ 这项运动充满魅力。◎ 她很有魅力。

12	展现	zhǎnxiàn	【动】	露出某种特性，书面语 to emerge

◎ 这个古老的小镇展现出无穷的魅力。

13	意志	yìzhì	【名】	决定达到某种目的而产生的心理状态 purpose, will

◎ 不管做什么，都需要有坚强的意志。

14	优美	yōuměi	【形】	动作、风景、语言、音乐等很美 graceful, fine, exquisite

◎ 这个体操运动员的动作很优美。◎ 颐和园的风景非常优美。

◎ 他写了很多优美的诗歌。

15	舞蹈	wǔdǎo	【名】	dancing

◎ 他的专业是少数民族舞蹈研究。

16	奔跑	bēnpǎo	【动】	快速地跑，书面语 to run

17	原始	yuánshǐ	【形】	最初期、最古老或简单而落后的 primitive

原始社会　原始森林　原始部落

◎ 这种用牛耕地的方法太原始了。

18	羡慕	xiànmù	【动】	看到别人的长处，希望自己也有 to envy

◎ 她长长的头发真让人羡慕。 ◎ 我很羡慕你有这么好的口才。

| 19 | 偶像 | ǒuxiàng | 【名】 | 人心中崇拜的对象 idol |

◎ 这个足球运动员是他心中的偶像，他的屋子里贴满了这位球星的照片。

| 20 | 潇洒 | xiāosǎ | 【形】 | 动作、穿着等自然大方或生活很自由 natural and unrestrained |

◎ 他的动作 / 举止 / 穿着很潇洒。 ◎ 他只要赚到钱，就四处旅游，活得很潇洒。

| 21 | 恨不得 | hènbude | 【动】 | 非常想做一件事，可是做不到，急切希望做某事 to itch to, how one wishes one could |

◎ 听到妈妈生病的消息，他恨不得立刻坐飞机飞回家去。

| 22 | 祈祷 | qídǎo | 【动】 | 向神祝告求福 to pray, to say one's prayers |

祈祷和平　祈祷平安

◎ 让我们为他祈祷吧！ ◎ 你还是向上帝祈祷吧。

| 23 | 假若 | jiǎruò | 【连】 | 如果，书面语 provided, suppose, if |

◎ 假若你感到身体不适，就一定要停止工作。

| 24 | 来世 | láishì | 【名】 | 下一辈子，来生 future life, next life |

◎ 佛教相信人有来世。

| 25 | 健美 | jiànměi | 【形】 | 身体健康而漂亮 vigorous and graceful, be strong and handsome |

健美的身材　健美的体形　健美运动

| 26 | 白日梦 | báirìmèng | 【名】 | 比喻不可能实现的幻想 daydream, fantasy |

◎ 你不要整天做白日梦了。

| 27 | 崇拜 | chóngbài | 【动】 | 尊敬佩服 to adore, to worship |

◎ 他很崇拜秦始皇 / 那位英雄 / 上帝。

| 28 | 与日俱增 | yǔ rì jù zēng | | 一天比一天多，增长得很快 multiply daily, grow with each passing day |

◎ 随着交往的增多，我对她的好感与日俱增。

| 29 | 沮丧 | jǔsàng | 【形】 | 灰心失望 depress |

◎ 看到自己的球队输了，很多球迷感到很沮丧。

| 30 | 别扭 | bièniu | 【形】 | 不舒服；不顺畅 uneasy, not smooth |

◎ 听了他的话，我心里很别扭。 ◎ 你这个句子听起来有点儿别扭。

| 31 | 场面 | chǎngmiàn | 【名】 | 事情发生时的情景 scene |

◎ 奥运会虽然结束了，可是我们还记得当时热烈的场面。

| 32 | 旗帜 | qízhì | 【名】 | 各种旗子的总称 banner, flag |

33 挥舞 huīwǔ 【动】 举起手臂连同手里的东西一起来回动 to wave

◎ 他们挥舞着旗帜给运动员加油。

34 簇拥 cùyōng 【动】 很多人紧紧围绕着或护卫着 to cluster round

◎ 记者们簇拥着刚刚当选的总理，提着各种问题。

35 冷落 lěngluò 【动】 在热闹的场合忽视或冷淡地对待 to leave out in the cold, to snub, to cold-shoulder

受冷落　被冷落　冷落了客人

36 闷闷不乐 mènmèn bú lè 心情不愉快 be depressed, be in low spirits

◎ 他因为丢了钱包，一整天都闷闷不乐的。

37 惨 cǎn 【形】 很糟糕，很厉害，程度很严重，常用于口语 terrible

◎ 你没有带钥匙？我也没有带。这下惨了，我们进不了屋子了。

◎ 这次我们输得很惨。 ◎ 孩子被打得很惨。

38 外人 wàirén 【名】 指某个范围以外的人，没有关系的人 outsider

◎ 我们自己家的事情，不要随便对外人讲。 ◎ 她的隐私从来不让外人知道。

39 所谓 suǒwèi 【形】 被叫做，所说的（有时隐含实际不是这样）so-called

◎ 所谓长三角，就是指以上海为龙头的长江三角洲经济区。

◎ 很多人吃肉是为了所谓的营养，其实肉食中有很多有害物质。

40 茫然 mángrán 【形】 指表情困惑、不知怎么办的样子 in absent way, blankly

◎ 老师没有解释清楚游戏规则，游戏开始后，大家都感到很茫然。

◎ 看他茫然的表情，就知道他肯定不知道这件事情。

41 动摇 dòngyáo 【动】 使不坚定，不稳固 to waver

◎ 我对他的信任完全动摇了。

42 欲望 yùwàng 【名】 强烈的愿望 desire

◎ 他对金钱有强烈的欲望。

43 局限 júxiàn 【动】 限制在狭小的范围内 to limit, to confine

◎ 他写的文章局限于学校生活／有一定的局限性。

◎ 这个孩子的教育受到了家庭经济条件的局限。

44 超越 chāoyuè 【动】 越过，战胜 to exceed, to surmount, to overstep

超越局限　超越自我　超越极限

45 根源 gēnyuán 【名】 使事物发生的根本原因 root

◎ 交通问题之所以这么严重，根源在于道路设计不合理。

46	决赛	juésài	【动】	体育比赛中决定第一名的比赛 (of sports) finals

四分之一决赛　半决赛

◎ 我们球队已经进入 / 参加了决赛。◎ 我们晚上要和上海队进行决赛。

47	好样儿的	hǎoyàngrde		很出色的的人，口语 great fellow

◎ 他每门功课都是优秀，真是好样儿的。

48	圣火	shènghuǒ	【名】	特指奥运会的火炬 Olympics torch

◎ 在希腊点燃了奥运会的圣火。

49	燃烧	ránshāo	【动】	烧，书面语 to burn

◎ 大火如果燃烧起来，就很难熄灭。

50	不屈	bùqū	【形】	不让步，不放弃，书面语 unyielding;not give in

不屈的生活态度　不屈的精神

51	挑战	tiǎozhàn	【动】	鼓动对方跟自己竞赛 to challenge

向……（发出）挑战　面对挑战　接受…的挑战

52	缺席	quē xí		没有出席，该到没有到 to miss, to absent

◎ 昨天的会议有很多人缺席。他上课从来没缺过席。

53	番	fān	【量】	次、回，多表示动作的时间长或困难大

◎ 爸爸给我讲了一番努力学习的道理。◎ 不研究一番，怎么能解决问题？

54	领悟	lǐngwù	【动】	体会或明白了某种道理 to comprehend, to have a true grasp

◎ 父亲的去世使她领悟到人生很短暂。

55	意味着	yìwèizhe		在某一事情或事物中包含着的意思 to mean, to signify, to imply

◎ 这学期他有三门课不及格，这就意味着他必须重读一年。

◎ 奥运会的圣火意味着不屈的精神。

56	灵魂	línghún	【名】	附于人体的精神 soul, spirit

◎ 你相信人死后还有灵魂存在吗？

与日俱增

◉ 专名

1. 刘易斯	Liúyìsī	(Lewes) 世界著名运动员
2. 奥运会	Àoyùnhuì	Olympic Games
3. 约翰逊	Yuēhànxùn	(Johnson) 世界著名运动员
4. 奥林匹斯山	Àolínpǐsī Shān	(Olympus) 位于希腊北部，是希腊的最高峰，奥运会及奥运精神的发源地

词语辨析

1. 羡慕　嫉妒

两个词都是动词，都表示看到别人长处的一种心理反应，但是"羡慕"是中性词，只强调希望像别人那样。如："我很羡慕你有这么漂亮的头发。"而"嫉妒"是贬义词，含有希望别人比自己差的怨恨意味。如："看到白雪公主越来越美丽，王后非常嫉妒。"

2. 展示　展现

两个词都是动词，都表示使某种事物让别人看到，但是"展示"是主动地让别人看到，主语多为人或者可以发出动作的事物，如："展览会上，很多厂家展示了最新产品。"而"展现"不是主动表现，而是自然地表现出来，让人看到。如："看着这些老照片，大学生活一幕一幕展现在眼前。"

3. 保持　维持

两个词都是动词，都有使某种状态持续不变的意味，但是"保持"说的是使某种好的事物不变坏，如："保持健康、保持爱情"。而"维持"侧重于使已经有点儿变坏的状态不要进一步恶化，如："维持生命、维持婚姻"。

词语练习

一 根据拼音写出汉字，然后把它们填在合适的句子里：*Shu shang*

1　2　3　4　5　6
quánjī　chǎngmiàn　yìzhì　shùnbiàn　mèilì　lěngluò
boxing　scene　willpower　in addition　glamour　to snub

1. 我不太喜欢看（ 1 ）比赛，因为我受不了那种打斗的（ 2 ）。

2. 这个古老的城市充满了（ 5 ）。

3. 回家的路上，我（ 4 ）去了一趟超市。

4. 大人们只管自己说话，孩子觉得自己受了（ 6 ），所以哭起来了。

5. 要参加十项全能的比赛，需要有坚强的（ 3 ）。

natural　uneasy　3　4　5
xiāosǎ　biěniu　yuánshǐ　xiànmù　qídǎo
primitive　admire　pray

6. 他的普通话那么标准，真让人（ 4 ）。

7. 据说这个地区还有很多（ 3 ）部落。

8. 他奔跑起来，动作非常（ 1 ）。

9. 让我们为和平（ 5 ）吧。

10. 这个句子听起来有点儿（ 2 ），中国人一般不这么说。

1　2　3　4　5　6
ǒuxiàng　chóngbài　Àoyùnhuì　cǎn　jiànměi　cùyōng
idol　to adore　Olympic games　miserable　strong and　cluster round

11. 很多人（ 2 ）足球明星，把他们看成是自己的（ 1 ）。

12. 为了减肥，最近她报名参加了一个（ 5 ）班。

13. 记者们（ 6 ）着刚刚获奖的选手走出机场。

14. 为了举办（ 3 ），这个城市修建了很多设计新颖的体育馆。

15. 这次比赛我们队输得真（ 4 ），居然一个球都没进。

1　2　3　4　5　6
gēnyuán　huīwǔ　dòngyáo　quē xí　tiǎozhàn　jǔsàng
root　to wave　to wave　to miss　to challenge　depress

16. 赛场上，啦啦队（ 2 ）着旗帜为选手们加油。

17. 在儒家、道家和佛教看来，欲望是痛苦的（ 1 ）。

18. 无论碰到多大的困难，我的梦想都不会（ 3 ）。

19. 我知道自己的汉语水平不太高，但还是希望换到高一点儿的班去，这样可以给自己一点儿（ 5 ）。

20. 排了半天队也没有买到音乐会的票，真让人（ 6 ）。

21. 昨天的会议有很多人（ 4 ）。

二 把下面的词语填在最合适的句子中：

羡慕　　嫉妒　　展示　　展现　　保持　　维持

1. 我真（ ）你汉语说得这么流利。
2. 常常（ ）别人长处的人，不可能有真正的朋友。
3. 一到香港，（ ）在眼前的就是高楼林立、车如流水的街景。
4. 晚会上，她（ ）了自己优美的歌喉。
5. 不管环境多么喧嚣，都应该（ ）内心的宁静。
6. 这个地区不断发生冲突，联合国只好派军队去（ ）和平。

三 在下面的形容词后填上合适的名词：

优美的（ ）　　　永恒的（ ）　　　茫然的（ ）

健美的（ ）　　　潇洒的（ ）　　　精彩的（ ）

四 根据下面所给的意思写出一个词语，然后用这个词语造一个句子：

1. 一天比一天多，增长得很快。（ ）
2. 心情很沮丧，不开心。（ ）
3. 如果。（书面语）（ ）
4. 看到别人的长处，希望自己也有。（ ）
5. 某一事情或事物中包含着的意思。（ ）

五 为下面句子中画线词语选择恰当的解释，并用这个词语造句：

1. 有人说，婚姻好像穿鞋子，舒服不舒服只有脚知道，外人只能看到表面。
   A. 外国人　　　　　　B. 外地人
   C. 局外人　　　　　　D. 陌生人

2. 听说她要来北京，我恨不得立刻见到她。
   A. 非常想　　　　　　B. 很讨厌
   C. 不喜欢　　　　　　D. 很生气

3. 听了她的话，我心里别扭极了。
   A. 不同意　　　　　　B. 不舒服
   C. 不明白　　　　　　D. 不在意

4.你真是<u>好样儿的</u>，这么快就把工作做完了。

A.长得很漂亮　　　　B.做得很出色

~~C.设计的式样很好~~　　~~D.别人的榜样~~

六　查字典，看看下面词语和其中的黑体字是什么意思，然后再写出两个由这个黑体字组成的词语：

Benzi

体育**迷**　　球**迷**　　　＿＿＿＿＿＿＿＿＿＿＿＿　　　＿＿＿＿＿＿＿＿＿＿＿＿

保持　　**保**护　　　＿＿＿＿＿＿＿＿＿＿＿＿　　　＿＿＿＿＿＿＿＿＿＿＿＿

精彩　　**精**美　　　＿＿＿＿＿＿＿＿＿＿＿＿　　　＿＿＿＿＿＿＿＿＿＿＿＿

奔跑　　**奔**驰　　　＿＿＿＿＿＿＿＿＿＿＿＿　　　＿＿＿＿＿＿＿＿＿＿＿＿

茫**然**　　突**然**　　　＿＿＿＿＿＿＿＿＿＿＿＿　　　＿＿＿＿＿＿＿＿＿＿＿＿

语言点

1　总之

● 我不光喜欢看足球、篮球以及其他各种球类比赛，也喜欢看田径、游泳、拳击、滑冰、滑雪、自行车和汽车比赛，总之，我是个全能体育迷。

"总之"是连词，它后面的话用来总结前文，得出一个概括性的结论，"总之"后常常用逗号。例如：

① 这里春天刮大风，夏天下大雨，秋天闹霜冻，冬天来寒流，总之，不太适合养花。

② 我喜欢音乐，我妹妹喜欢美术，我哥哥喜欢文学，总之，我们兄妹几个都喜欢艺术。

③ 这种鸟的名字我一下子想不起来了，总之，不是燕子。

2　在……看来

● 因此，在我看来，它比任何舞蹈都好看。

"在……看来"用来介绍出某人的看法，相当于"……认为"。使用这个结构，语气比较正式。例如：

① 在我看来，一个人最好的朋友是可遇而不可求的。

② 在外人看来，他们是模范夫妻，其实，他们之间有很多矛盾。

3 之所以……是因为……

● 我之所以有这样的白日梦，是因为现实中的这个我太令人沮丧。

　　这个结构用来连接原因和结果，"之所以"后面是结果或结论，"是因为"后面是原因或理由。使用这一结构，可以使后面的原因或理由更加突出。"是因为"也可以用"是由于"等。例如：

① 他之所以没有被录用，是因为他的学历太低。

② 足球比赛之所以充满魅力，是因为它的结果有一定的偶然性。

③ 在那位著名历史学家看来，中国之所以能长期保持统一，是由于地理、文化等方面的原因。

4 这样一来

● 这样一来，我的白日梦就需要重新设计一番了。

　　"这样一来"用来连接分句或段落，它的前面说出某种情况，后面说明在这种情况下事情发生的变化。它后面的小句中常常带有"了"等表示变化的成分。例如：

① 河流和湖泊都受到了严重的污染，这样一来，许多人就不必再学游泳了。

② 市政府修建了多条地铁，这样一来，交通堵塞的问题终于解决了。

5 即使……也……

● 即使人可以跑出九秒五九，也仍然意味着局限。

　　这个结构表示假设和让步，前面常表示一种假设情况，后面表示结果或结论不受这种情况的影响。和"就是……也……"用法基本相同，但多用在书面语中。例如：

① 即使明天天气不好，我们也还是要去郊游。

② 即使再忙，也不应该忽视孩子的教育。

③ 即使是荒岛上的鲁滨逊，也需要一个"礼拜五"。

语言点练习

一　用所给的词语完成对话或句子：

1. 日本、韩国、泰国，_____都受到过中国文化的影响。（总之）

2. 森林变成了沙漠，空气和水受到了污染，气温也在变暖，_____。（总之）

3. 不管你学钢琴还是学小提琴，_____。（总之）

4. A：你认为我们有必要开一门中国历史课吗？
   B：_____。（在……看来）

5. A：你觉得，中国的标志是什么？
   B：_____。（在……看来）

6. A：你知道中国为什么要实行"计划生育"的政策吗？
   B：_____。（之所以……是因为……）

7. A：爸爸看起来怎么那么沮丧？
   B：_____。（之所以……是因为……）

8. A：你们队的实力那么强，怎么会输得这么惨？
   B：_____。（这样一来）

9. A：昨天的音乐会你怎么没有去听？
   B：_____。（这样一来）

10. A：你们是怎么成为朋友的？
    B：_____。（这样一来）

11. A：假若你们双方父母都不同意，你们还结婚吗？
    B：_____。（即使……也……）

12. A：我们公司一定要进行人事制度改革吗？
    B：是的，_____。（即使……也……）

13. A：在课堂上，我总是不敢开口讲汉语，怕出错。
    B：没关系的，_____。（即使……也……）

14. A：明天的足球比赛一定举行吗？
    B：当然，_____。（即使……也……）

二　用本课重要的语言点造句。

总之　~~2 sentences 2 words~~

在……看来

之所以……是因为……

这样一来

即使……也……

综合练习

一　在下面的句子中填上合适的动词补语，然后对照课文，看填得是否正确：

1. 体育场馆门前都有很高的台阶，我上不（　　　）。

2. 我能说（　　　）所有田径项目的世界纪录是多少。

3. 这些纪录是我顺便记（　　　）的。

4. 田径运动的魅力在于它能充分展现（　　　）人的力量、意志和优美。

5. 看一些世界著名运动员奔跑，你会觉得他们是从人的原始跑（　　　），向人的未来跑（　　　）。

6. 我之所以有这样的白日梦，是因为现实中的这个我太令人沮丧，才想（想出）这个法子来给自己一点儿安慰。

7. 他在所有人的欲望前面设（下）永恒的距离。

8. 刘易斯在跳远比赛中跳（出　）了八米七二。

9. 我不再愿意用我领悟（到　）的这一切，仅仅去换一个健美的身体。

10. 即使人可以跑（出　）九秒五九，也仍然意味着局限。

二　先读下面三段课文，然后根据后面的提示，写三段话：

1. **也许是因为**人缺了什么就更喜欢什么**吧**，**我**虽然两条腿不能动，**却是个体育迷**。我**不光**喜欢看足球、篮球**以及**其他各种球类比赛，**也**喜欢看田径、游泳、拳击、滑冰、滑雪、自行车和汽车比赛，**总之**，我是个全能体育迷。

　*请你仿照这段话，使用黑体部分的词语和格式，写一段不超过100字的短文，说说自己的爱好。

2. 我最**喜爱**和**羡慕**的人是刘易斯，他是我心中的**偶像**。他**身高**一米八八，

长得肩宽腿长，随便一跑就是十秒以内，随便一跳就在八米开外，而且在最重要的比赛中他的动作也是那么潇洒。

＊请你仿照这段话，使用黑体部分的词语和格式，写一段不超过100字的短文，描写一下你自己的偶像。

3. 眼前老出现中午的场面：所有的人都在**向**约翰逊**欢呼**，所有的**旗帜与鲜花**都在**向**约翰逊**挥舞**，**浪潮般**的记者们**簇拥**着约翰逊走出**赛场**，**而**刘易斯则被冷落在一旁。

＊请你仿照这段话，使用黑体部分的词语和格式，写一段不超过100字的短文，描写一个你自己看到过的体育比赛的场面：

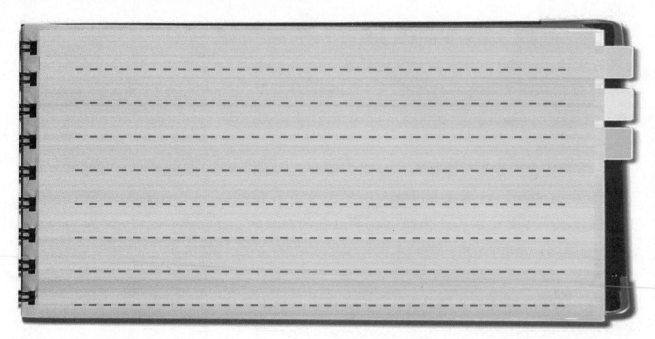

阅读 副课文

即使所有的青藤树都倒了

"即使所有的青藤（téng）树都倒了，你也要站着，即使全世界都沉睡了，你也要醒着。"六年前，我把这句话写在他的笔记本上，然后告别母校，各奔东西。

他给我印象最深的是沿着校园长跑的背影，拖着残疾的右腿，一跛（bǒ）一跛的，迎接着一张张表情各异的面孔和一双双好奇的眼睛。足球场上，他在"瘸子（quézi），射门！"的叫喊声中跌倒，又爬起来……

跛： 腿或脚有毛病。
瘸子： 腿脚有毛病的人。

六年的光阴不算长，想起从前却恍如隔世（huǎng rú gé shì）。这期间，我与很多同龄人一样，承受了不少原以为承受不起的东西，但即使在最沮丧的时候，也不曾用勉励（miǎnlì）别人的话来勉励自己，但每当碰到困难，眼前就出现他一跛一跛的背影，于是艰难（jiānnán）地学会将痛苦与耻辱（chǐrǔ）变成人生的财富。为此，我对他充满感激。不想，六年后的今天相遇，他竟真诚地告诉我，直到现在，他还在读那几句留言，"即使所有的青藤树都倒了……"他脱口而出（tuō kǒu ér chū）。六年来，他的工作和生活都经历了很多不幸，他说是这几句留言使他的梦想没有动摇。

恍如隔世： 好像隔了一辈子。

勉励： 鼓励。
艰难： 很困难。
耻辱： 特别丢脸。

脱口而出： 一下子说出来。

我一下子愣住了，原来我们每个人都可以在有意无意中给别人很多很多，同样，也可以剥夺（bōduó）别人很多很多。岁月流逝（liúshì），我们抓住了什么？又放弃了什么？

剥夺： 把别人的东西或权利拿走。
流逝： 时间过去。

每个人都同自己一样充满了渴望（kěwàng）：一声呼唤、一个微笑、一道目光、一纸信笺（xìnjiān）、一个电话、一种关注，而我们却常常忽略。每个人心

渴望： 非常想得到。
信笺： 信纸。

中都有一片绿荫，却不能汇成森林；每个人都在呼唤，却总是不能互相答应。

其实，论年龄，我们还年轻，但究竟是什么使我们的感觉日渐迟钝（chídùn）？我们告诉自己，要花点儿时间在生命中的大事上，却从来也找不出时间。早上刚起床，就有一大堆事要做：打开窗子、铺床、冲澡、刷牙、喂狗、喂猫，清扫昨晚留下来的垃圾，发现糖或咖啡没了，出去采购回来，做早餐……然后，有衣服要整理、挑选、熨（yùn）平，还要梳头、化妆。整天都是电话和小计划，事情竟然这么多！

我们的生活似乎在代替我们过日子。生活本身具有的奇异的惯性，把我们弄得晕头转向（yūn tóu zhuàn xiàng），到最后，我们会感觉对生命一点儿选择也没有，丝毫无法作主（zuò zhǔ）。偶尔失眠，在夜深人静时，疼痛会在内心深处升起，会记起许多已经遗忘的东西，会怀疑："我是怎么过日子的？"但很快又会安慰自己说："每个人都是这样过的。"早上醒来，又会匆匆忙忙拎（līn）起公文包出门，忘记自己深夜的思考。

"即使所有的青藤树都倒了，你也要站着，即使全世界都沉睡了，你也要醒着！"这回轮到我自己来读了，用曾经勉励别人的话来勉励自己，不能在生活中失去自己的方向！

迟钝：感觉不灵敏。

熨：用金属器具加热，按压衣服，使它变平。

晕头转向：头脑昏乱，搞不清方向。

作主：对某件事作出决定并负全责。

拎：提。

 副课文练习

一　根据课文，完成下面段落：

　　"即使所有的青藤树都倒了，你也要站着，即使全世界都沉睡了，你也要醒着。"是＿＿＿＿＿＿的时候＿＿＿＿＿＿写给＿＿＿＿＿＿的，这位同学的＿＿＿＿＿＿有残疾。六年后相遇，＿＿＿＿＿＿告诉＿＿＿＿＿＿，那几句话使他＿＿＿＿＿＿。

　　听到这些话，作者一下子愣住了。这些年，每当遇到困难，他都会想起＿＿＿＿＿＿，然后咬咬牙，坚持下去。为此，他对这位同学＿＿＿＿＿＿。

　　原来我们每个人都可以在有意无意中＿＿＿＿＿＿，同样，也可以＿＿＿＿＿＿。

二　根据课文，完成下面的段落：

　　我们告诉自己，要花点儿时间在生命中的大事上，却从来也找不出时间，早上刚起床，就有一大堆事要做：打开窗子，＿＿＿＿＿＿、冲澡、刷牙、＿＿＿＿＿＿、＿＿＿＿＿＿，＿＿＿＿＿＿昨晚留下来的垃圾，发现糖或咖啡没了，出去＿＿＿＿＿＿回来，做早餐……然后，有衣服要整理、挑选、＿＿＿＿＿＿，还要＿＿＿＿＿＿头、化妆。整天都是电话和小计划，事情竟然这么多！

三　回答下面的问题：

1. "即使所有的青藤树都倒了……"有什么深刻的含义？
2. 有没有一句话对你的影响非常大？请你想一想，介绍给大家。
3. 你觉得人生的意义是什么？你对幸福的概念是什么？

7 戏说中国人

预习

这一课谈的是有关中国人特点的话题，请你预习课文，并回答下面的问题，看看课文的生词表里，有没有你需要的词语：

1 课文中一共说了中国人的几个特点？

2 请你先根据拼音写出左栏中缺少的汉字，然后在右栏中各举两个例子。

中国人的特点	例子
中国人的第一个 shìhào 是工作。	1. 2.
传统中国人非常 qiānxū。	1. 2.
中国人并不缺乏 zìháo 感。	1. 2.
不管中国人到了哪里，他的中国 tèzhì 绝不改变。	1. 2.
中国人非常懂得 yǐ róu kè gāng 的道理。	1. 2.

3 你觉得这篇文章是什么风格的？（可以多选）

    A 严肃的

    B 活泼的

    C 沉重的

    D 幽默的

    E 轻松的

戏说中国人

你认识的中国人是什么样的呢？

中国人的第一个嗜好是工作。在我看来，世界上再没有比中国人更疯狂地喜欢工作的人了。中国字里男人的"男"，是田和力，也就是"在田里的那种劳动力"；中国字的"妇"是女和帚，意思是指"拿着扫帚的那种女人"；中国的"家"字是"屋顶下养着一头猪"的意思，当然了，并不是说屋子里没有人，只是说要有人有猪才算是家。总之，你要叫一个中国人不做事，那简直是要他的命。

中国人最喜欢的东西就是土地。中国人拼命工作之后，如果赚了钱，他就立刻买一块地。中国人无论在全世界哪里，都习惯性地要往土里种点儿什么。他会傻里傻气地跑到沙漠里去种白菜，而奇怪的是当土地搞清他们是中国人之后，果然很听话，种什么就长什么，一点儿也不反抗。

中国人如果发了财，他绝对想不出怎么花钱，他会把钱全留给儿子，而这儿子，同样也不知道钱该怎么花，又把钱留给了孙子。

传统的中国人是不容许你有私生活的，他理直气壮地问一个小姐的年龄，他甚至会盘问你为什么要跟长得挺不错的玛丽分手。不过，传统的中国社会至少有个好处，不需要找心理医生——反正谁都可以听谁的隐私。对中国人来说，一个人如果有"不可告人之事"，他一定不是好人。

传统的中国人非常谦虚。他们把自己的文章叫作"拙作"；他们建议你把他的画拿去"补壁"，就是补墙壁上的洞；他们把自己的小孩叫作"犬子"，把自己的房子叫作"寒舍"。如果你听一个中国人说："我一无所长，希望多向您学习。"千万不要以为他是一个没有自信的家伙，他其实是要你知道他的谈吐多么有教养。如果一个中国人请你到家里去吃饭，向你抱歉说："不好意思，没准备什么像样儿的菜。"那么，你放心，一定有一大桌丰盛的菜肴等着你。在和中国人交往时，正确的做法是"谦虚"由他负责，赞美的

"反驳"由你负责。如果他说："我的英文简直糟透了。"你就应该说："哪里，您的英文地道极了，不比英国人差啊！"

当然，中国人并不缺乏自豪感。一般来说，中国人很少大惊小怪，据说中国人脸部肌肉的活动量只有美国人的十分之一，欧洲人的五分之一。中国人看到炸药，很不屑，说："跟我们过年放鞭炮用的不也差不多吗？"中国人看到电脑，说："我们早就有算盘了。"美国人辛辛苦苦跨了一步，上了月亮，中国人毫不佩服，说："嫦娥早就去了。"国际上一些政客为发动战争费尽心机想出的理由，到了中国人那里全成了小儿科："这和中国战国时代的情形差不多啊。"这有什么办法呢，中国历史5000年，人间所有能发生的，在中国都已经发生过了。

不管中国人到了哪里，他的中国特质都绝不改变。在香港，你会看到家家厨房在雪亮的炉灶上放着个黄褐色的沙锅——他们是在努力保留一部分的中国。在新加坡，最热闹的地方开着中药铺，那些中国人，在他最病最弱的时候，他情感上需要的是中国的草药。在马来西亚，成千的华侨社团吵着要办一所中文大学。而在新加坡，已经有了一所教中文的南洋大学——当初捐钱建它的竟是个不识字的华侨。

曾有位中国古代的哲学家，在临终时把他的学生叫来，说："你看我的牙齿呢？"

"没有了，都掉光了。"

"我的舌头呢？"

"还在。"

那学生忽然明白了柔韧的东西永远比坚硬的东西更强，更适合于生存。中国人非常懂得"以柔克刚"的道理，这一点，只要你打过中国的太极拳，就会深有体会。

（作者：桑科，有删改）

词语表

1	嗜好	shìhào	【名】	特别的爱好（多用于贬义）addiction

◎ 我没有什么不良的嗜好，只是每天都要喝上一杯。

| 2 | 扫帚 | sàozhou | 【名】 | 扫地的工具，多用竹枝扎成 broom |

一把扫帚

| 3 | 要命 | yào mìng | | 使丢掉生命或陷入致命的困境，表示到达极点 to kill; awfully, confoundedly |

◎ 你就是要了我的命，我也不能告诉你。

◎ 如果这个时候，我们撤回所有的资金，那就等于要了他们公司的命。

◎ 他对他太太怕得要命。

◎ 我现在累/热/疼/饿/困得要命。

◎ 真要命！我们已经等了她半个多小时了，还不见她的人影。

| 4 | 拼命 | pīn mìng | | 不怕付出性命去干某事；用尽所有力气做 to risk one's life, to exert the utmost energy |

◎ 如果你再欺负我，我就和你拼命了。

◎ 为了考上一个好学校，他每天都在拼命地学习。

| 5 | 赚钱 | zhuàn qián | | 挣钱 to make money |

◎ 听说他最近赚了一大笔钱。

| 6 | 傻里傻气 | shǎlishǎqì | 【形】 | 傻乎乎的样子 muddle-headed |

◎ 他这个人傻里傻气的。

| 7 | 果然 | guǒrán | 【副】 | 表示事实与说的或想的一样 as expected, as things turn out |

◎ 昨天天气预报说今天有雨，你看，果然下起来了。

◎ 我觉得她是南方人，果然是。

| 8 | 听话 | tīnghuà | 【形】 | 听从上级或长辈的话；愿意服从某人 obedient, tractable be obedient; obey |

◎ 这个孩子真听话，从来不闹。

◎ 宝贝儿，妈妈不在的时候，你要好好听外婆的话。

| 9 | 反抗 | fǎnkàng | 【动】 | 用行动反对 to revolt, to resist |

反抗侵略

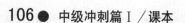

10	发财	fā cái		获得大量钱或财物 to get rich, to make a fortune
		发大财　发了一笔财		

11	容许	róngxǔ	【动】	同意做某事 to tolerate, to allow
		◎ 你怎么不容许别人有不同的意见?		

12	理直气壮	lǐ zhí qì zhuàng		觉得自己做得对,说话做事很有道理的样子。justly and forcefully
		◎ 听了他理直气壮的话,法庭上的所有人都相信他是无辜的。		

13	盘问	pánwèn	【动】	不停地详细地问 to interrogate
		◎ 她不停地盘问我到底为什么要和玛丽分手。		

14	隐私	yǐnsī	【名】	不愿告诉别人或不愿公开的个人的私事 facts one wishes to hide, privacy
		保持个人的隐私　干涉别人的隐私		

15	谦虚	qiānxū	【形】	虚心,不夸大自己的能力或价值 modest
		◎ 他这个人一向很谦虚。　◎ 在中国人看来,谦虚是一种美德。		

16	拙作	zhuōzuò	【名】	中国人谦虚地称自己的作品 my clumsy writing

17	犬子	quǎnzǐ	【名】	谦辞,对别人称自己的儿子 young dog, a self-depreciatory expression of one's own son

18	寒舍	hánshè	【名】	谦辞,对人称自己的家 my humble home
		◎ 欢迎您光临寒舍。		

19	一无所长	yì wú suǒ cháng		一点儿专长也没有 to have no special skill
		◎ 他这个人一无所长。		

20	千万	qiānwàn	【副】	无论如何,不管怎样一定要……be sure
		◎ 你千万别忘了把这本书交给他。　◎ 你千万要注意孩子的品德教育。		

21	家伙	jiāhuo	【名】	指人,带有轻视或开玩笑的意思 fellow
		◎ 那个家伙一无所长,没什么本事。　◎ 你这个家伙,吓了我一跳。		

22	谈吐	tántǔ	【名】	指人的谈话方式 style of conversation
		他的谈吐很有教养 / 大方 / 自然。		

23	教养	jiàoyǎng	【名】	指一般文化、道德修养 education, breeding; culture, upbringing
		◎ 他这个人很有教养。		

24	像样儿	xiàngyàngr	【形】	不错,还可以 decent, presentable, be up to the mark
		◎ 你的太极拳打得挺像样儿的。　◎ 失业以后,他的生活过得挺不像样儿的。		

25	丰盛	fēngshèng	【形】	食物丰富 sumptuous

丰盛的晚餐

26	菜肴	càiyáo	【名】	做好的蔬菜、鸡蛋、肉等副食品的统称 cooked food

◎ 今天的菜肴非常丰盛。

27	赞美	zànměi	【动】	夸……的优点 to praise, to commend, to eulogize

◎ 我们应该学会赞美别人的优点。

28	反驳	fǎnbó	【动】	提出理由反对别人的观点 to retort, to rebute, to confute, to disprove

反驳别人的观点

◎ 他的看法是错误的，我要写一篇文章反驳他。

29	地道	dìdao	【形】	纯正的、真正的 pure, authentic

◎ 他讲一口地道的中文。　◎ 这家饭馆儿的四川菜很地道。

30	自豪	zìháo	【形】	自己感到光荣，值得骄傲 be proud of

◎ 他为自己打破世界纪录而自豪。

◎ 说起长城，很多中国人的心中都充满自豪感。

31	大惊小怪	dà jīng xiǎo guài		对一些不该惊讶的事情表现得过分惊讶 make a fuss

◎ 他这个人对什么都大惊小怪的。　◎ 你不要这么大惊小怪的，好不好？

32	肌肉	jīròu	【名】	人或动物身体上的瘦肉 muscle

发达的肌肉　强壮的肌肉

33	炸药	zhàyào	【名】	dynamite

◎ 你今天怎么了？像是吃了炸药，不停地发火。

34	不屑	búxiè	【形】	轻视，看不起 disdain

不屑的表情　不屑的口气　不屑的目光

			【动】	认为不值得 think sth. not worth doing

◎ 对这种常识性的错误，我不屑反驳。

35	鞭炮	biānpào	【名】	firecracker

放鞭炮

36	电脑	diànnǎo	【名】	computer

一台电脑

37	算盘	suànpan	【名】	abacus

打算盘　打如意算盘　打小算盘

38	辛苦	xīnkǔ	【形】	劳累，困难 hard, toilsome

工作很辛苦　生活很辛苦

◎ 大家辛苦了，现在休息一下吧。

39	佩服	pèifú	【动】	尊敬别人的长处 to admire, to have admiration for

◎ 我很佩服他的工作能力。　◎ 他的意志那么坚强，真令人佩服。

40	政客	zhèngkè	【名】	利用政治上的机会得到个人好处的人，贬义词 politician

◎ 他不是什么政治家，只是一个政客。

41	小儿科	xiǎo'érkē	【形】	简单的，幼稚的 childish

◎ 你这种错误太小儿科了。

42	雪亮	xuěliàng	【形】	具有明亮的外表、外观或外貌的；能看清事情真相的 shiny; sharp

雪亮的炉灶　雪亮的刀子　◎ 你不要想骗人，大家的眼睛是雪亮的。

43	炉灶	lúzào	【名】	厨房里做饭用的炉火和台面 kitchen stove

◎ 虽然项目失败了，可是别沮丧，我们还可以另起炉灶。

44	沙锅	shāguō	【名】	一种用陶土加沙烧制成的锅，常用来煮粥或熬药 clay pot

◎ 她这个人很好奇，对什么都喜欢打破沙锅问到底。

45	中药铺	zhōngyàopù	【名】	卖中药的商店 shop of traditional Chinese medicines

◎ 他在市中心开了一家中药铺。

46	华侨	huáqiáo	【名】	在国外定居的中国人 overseas Chinese

◎ 他父母是华侨，他在美国出生，是华裔。

47	捐	juān	【动】	把自己的钱物送给需要帮助的人 to contribute

捐款　捐钱

48	哲学家	zhéxuéjiā	【名】	philosopher

49	柔韧	róurèn	【形】	柔软但不容易断 soft but tensile

柔韧的材料　柔韧的性格

50	以柔克刚	yǐ róu kè gāng		用柔韧的方法战胜强壮的对手 use softness to overcome hardness

◎ 对待脾气不好的人，最好用以柔克刚的方法。

51	太极拳	tàijíquán	【名】	中国传统武术项目之一，动作柔缓，可用于拳击和健身 Taiji quan (slow-motion Chinese boxing, shadow boxing)

◎ 他给我们打了一套太极拳。

◉ 专名

1. 嫦娥	Cháng'é	中国古代神话中飞到月亮上的一个姑娘。
2. 新加坡	Xīnjiāpō	(Singapore) 东南亚的一个国家。
3. 马来西亚	Mǎláixīyà	(Malaysia) 东南亚的一个国家。
4. 战国时代	Zhànguó shídài	中国历史上的一个时期，一般指公元前 475 年——公元前 221 年，这一时期，中国七个大诸侯国之间经常发生冲突。

词语辨析

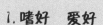

1. 嗜好　爱好

两个词都表示"某种喜欢做的事"，但是"嗜好"含有贬义，常常指喜欢得上了瘾或喜欢做不好的事，如："他最大的嗜好就是喝酒。""爱好"是中性词，略带褒义，如："他的爱好是听音乐。"另外，"爱好"也可用作动词，如："他爱好集邮。""嗜好"一般作名词。

2. 赞美　表扬

两个词都是动词，都表示"夸……的优点"，但是"赞美"的对象可以是人也可以是事物，如："赞美别人、赞美家乡"。"表扬"则是地位较高或者年龄比较大的人夸下级或晚辈，如："老师表扬学生，父母表扬孩子"。

3. 佩服　崇拜

两个词都是动词，都有"认为某人很了不起"的意味，但是"A 佩服 B"说的是 A 认为 B 能够完成一般人做不到的事情，而觉得 B 了不起，如："他虽然腿有残疾，却能够登上 4000 米的高山，真让人佩服。"而"A 崇拜 B"则是 A 觉得 B 是自己的偶像，如："她很崇拜那位歌星，是他的忠实粉丝。"

词语练习

一 根据拼音写出汉字，然后把它们填在合适的句子里：

| shìhào | zhuàn qián | róngxǔ | yǐnsī | qiānxū | tīng huà |

1. 他唯一的（ ）就是疯狂地（ ）。

2. 这个孩子很不（ ），从小就让父母操心。

3. 一般说来，中国人受到赞美时，都会（ ）地说几句客气话。

4. 我们绝对不（ ）考试作弊的行为在我们班出现。

5. 听说中国人以前没有（ ）的概念，真的吗？

| tántǔ | jiàoyǎng | càiyáo | fǎnbó | dìdao |

6. 她生在北京，讲一口（ ）的北京话。

7. 我并不想（ ）你的观点，我只是说一下自己的看法。

8. 听他的（ ），就知道受过很好的教育。

9. 你这么说话显得很没有（ ）。

10. 她为我们准备了一桌子丰盛的（ ）。

| zìháo | biānpào | xīnkǔ | pèifú | juān |

11. 妈妈的工作很（ ），你要多理解她。

12. 我觉得，如果过春节不放（ ），真的一点儿过节的气氛都没有。

13. 很多中国人为长城而感到（ ）。

14. 我很（ ）你的勇气。

15. 这所大学是由一位老华侨（ ）钱修建的。

| róurèn | tàijíquán | zhèngkè | fā cái | zhéxuéjiā |

16. 在中国道家看来，（ ）的东西胜过坚硬的东西。

17. 他不是什么政治家，不过是个（ ）罢了。

18. 他这个人啊，做梦都想（ ）。

19. 在中国的时候，我早晨常常去打（ ）。

20. 很多现代人把老子看成是一位（ ），其实这并不是他的职业。

二　把下面的词语填在最合适的句子中：

嗜好　　爱好　　赞美　　表扬　　佩服　　崇拜

1. 那么疯狂的过山车你都敢坐，真叫人（ 5 ）！
2. 诗人在诗歌里（ 3 ）了伟大的母爱。
3. 这个学期他进步非常大，今天老师在班里（ 4 ）了他。
4. 他（ 2 ）古典音乐，常常去听交响乐。
5. 这个孩子，小小年纪就有了很多不良（ 1 ）。
6. 她最（ 6 ）的人就是秦始皇，把他看做最伟大的政治家。

三　在下面的形容词后填上合适的名词：

自豪的（ guniing ）　　　雪亮的（ 车 ）　　　丰盛的（ caiyao ）

地道的（ fangnaner ）　　柔韧的（ 身体 ）　　谦虚的（ 人 ）

四　在下面的句子中填上本课出现的合适的单音节动词：

1. 我不会（ 打 ）太极拳。
2. 他家（ 养 ）着一条狗。
3. 他们计划在山区（ 建 ）一所希望小学。
4. 这件事还没有（ 说 ）清楚。
5. 你想在沙漠里（ 种 ）白菜？
6. 他们在市中心（ 开 ）了一家中药铺。
7. 他的女朋友（ 长 ）得非常漂亮。

五　根据下面的句子写出一个四字词语，然后用这个词语造一个句子：

1. 不看实际情况做傻事的样子。（ shulishuhi ）
2. 说话做事很有道理的样子。（ lizhicuhanwahg ）
3. 一点儿长处都没有。（ yi wuswonghuny ）
4. 为一点儿小事就很惊讶。（ dajing xiaoguai ）
5. 用柔韧的方法战胜强硬的对手。（ yi roukegung ）

六 说出下面句子中画线词语的意思，并用这个词语造句：

1. 对我们的帮助，他好像很<u>不屑</u>。
   A. 不满意
   B. 不愿意
   C. 看不起
   D. 不好意思

2. 她<u>果然</u>不同意我们的意见。
   A. 居然
   B. 果真
   C. 竟然
   D. 当然

3. 这次会议很重要，你<u>千万</u>别缺席。
   A. 一定
   B. 万一
   C. 十分
   D. 万分

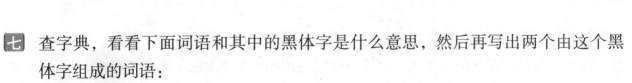

4. 他的中国画画得<u>挺像样儿的</u>。
   A. 非常好
   B. 非常像
   C. 还不错
   D. 非常糟

5. 你这种做法很<u>小儿科</u>。
   A. 幼稚
   B. 可爱
   C. 活泼
   D. 单纯

七 查字典，看看下面词语和其中的黑体字是什么意思，然后再写出两个由这个黑体字组成的词语：

丰**盛** 丰**富** _____ _____

隐**私** 隐**瞒** _____ _____

隐**私**　自**私**　　　_____　　　_____

小儿**科**　外**科**　　　_____　　　_____

中药**铺**　自行车**铺**　　_____　　　_____

语言点

1　没有比……*更/再*……的（n.）了

● 在我看来，世界上再没有比中国人更疯狂地喜欢工作的人了。

　这一结构表示在某一范围内，某一人或事物在某一方面最突出。例如：

① 这个班没有比李华更努力的学生了。

② 在北京的公园里，没有比颐和园再漂亮的了。

2　简直

● 你要叫一个中国人不做事，那简直是要他的命。

　"简直"是副词，强调完全是这样或差不多是这样，含有夸张语气，它后面的成分也多有程度很高的意味。例如：

① 这幅画简直像真的一样。

② 最近非常忙，简直连一分钟时间都挤不出来。

③ 这个城市的交通状况糟透了，路上简直成了停车场。

④ 我简直不敢相信这是真的。

3　*无论/不管*……*也/都*……

● 中国人无论在全世界哪里，他都习惯性地要往土里种点儿什么。

　这个结构强调在任何情况下，都不改变结论或结果。"无论"多用于书面，"不管"多用于口语。"无论"和"不管"后面常常跟"V不V"、"是A还是B"或特殊疑问句，如果后面的句子有主语，"也"和"都"不能放在主语前面。例如：

① 无论走到哪里，中国人的特质都不会改变。

② 无论多么忙，也不能忽视对家庭的责任。

③ 不管你去不去，都要给我来个电话。

④ 不管是在北京还是在外地，我都习惯早起。

4 A 把 B 动词 + 作 C

● 传统的中国人非常谦虚，他们把自己的文章叫作"拙作"。

汉语中常用这一结构表示"A 认为 B 是 C"的含义，其中，动词常用"叫、看、当、比"等。口语中"作"也可以用"成"来代替。例如：

① 中国人把长城看作中国的象征。

② 他把朋友当作自己的镜子。

③ 中国古代的人们把自己的小孩儿叫作"犬子"，把自己的房子叫作"寒舍"。

5 A 不比 B + adj.

● 您的英文地道极了，不比英国人差啊！

这个结构表示"A 和 B 都不 adj."与"A 和 B 差不多"两层意思。例如：

① 弟弟的个子不比哥哥矮。（弟弟和哥哥都不矮，他们俩的个子差不多）

② 他跑得不比你跑得慢。（他们俩跑得都不慢，两人的速度差不多）

语言点练习

一 用所给的词语完成对话或句子：

1. A：为什么世界上很多大公司都来中国做生意？

 B：_____。（没有比……更 / 再……的 <n.> 了）

2. A：你为什么每天早上去打太极拳？

 B：_____。（没有比……更 / 再……的 <n.> 了）

3. 我最近忙死了，_____。（简直）

4. 他的汉语非常好，_____。（简直）

5. 杭州这个城市美极了，_____。（简直）

6. A：如果你父母不同意，你还要出国留学吗？

 B：_____。（无论……都……）

7. A：听说学中国画并不容易，你还打算学下去吗？

　　B：＿＿＿＿＿＿＿＿＿＿＿＿＿＿＿。（不管……都……）

8. A：为什么现在很多女孩子都在减肥？

　　B：＿＿＿＿＿＿＿＿＿＿＿＿＿＿＿。（A 把 B 动词＋作 C）

9. A：你怎么知道中国古代的人特别谦虚？

　　B：＿＿＿＿＿＿＿＿＿＿＿＿＿＿＿。（A 把 B 动词＋作 C）

10. A：和美国妇女的社会地位相比，你觉得中国妇女的社会地位怎么样？

　　B：＿＿＿＿＿＿＿＿＿＿＿＿＿。（A 不比 B＋adj.）

11. A：香港的消费水平比东京低吗？

　　B：＿＿＿＿＿＿＿＿＿＿＿＿＿。（A 不比 B＋adj.）

二　用本课重要的语言点造句：

没有比……更／再……的（n.）了 4个 sentences

简直 2个 sentences.

无论……都……

A 把 B 动词＋作 C

A 不比 B＋adj.

综合练习 ••••••••••••••••••••••••••

一　在下面这段话的空白处填上合适的副词，然后对照课文，看填得是否正确：

中国人最喜欢的东西（就）是土地。中国人拼命工作之后，如果赚了钱，他（就）立刻再买一块地。中国人无论在全世界哪里，他（都）习惯性地要往土里种点儿什么。他会傻里傻气地跑到沙漠里去种白菜，而奇怪的是当土地搞清他们是中国人之后，果真很听话，种什么（就）长什么，一点儿（也）不反抗。

二　先读下面这段课文，然后根据后面的提示完成练习。

中国人的第一个嗜好是工作。 a) 中国字里男人的"男"，是田和力，也就是"在田里的那种劳动力"；b) 中国字的"妇"是女和帚，意思是指"拿着扫帚的那种女人"；c) 中国的"家"字是"屋顶下养着一头猪"的意思，当然了，并不是说屋子里没有人，只是说要有人有猪才算是家。<u>总之</u>，你要叫一个中国人不做事，那简直是要他的命。

　　＊在这段课文中，画线的第一句话是主题，a、b、c 三句话是说明主题的例子，最后的"总之"是总结。请你仿照这段课文的结构，任选下面的一句话作主题，写一段 150 字左右的短文。

　　●传统的中国人非常谦虚
　　●中国人并不缺乏自豪感

三 除了课文中提到的，你觉得中国人还有哪些特点？分小组讨论一下：

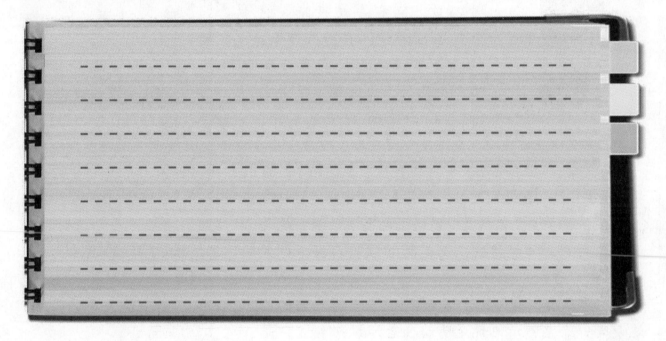

差不多先生传

在中国，没有比差不多先生更有名的人了，无论在什么地方，你都可以听到他的大名。

差不多先生长得和你我都差不多。他有一双眼睛，但看得不很清楚；有两只耳朵，但听得不很明白；有鼻子和嘴，但他对于味道都不很讲究（jiǎngjiu）；他的脑子也不小，但却很糊涂（hútu）。

他常常说："不管什么事，只要差不多就好了。何必（hébì）太认真呢？"

他小的时候，有一次，妈妈叫他去买红糖，他却买回了白糖，妈妈骂他，他却说："红糖白糖不是差不多吗？"

上学以后，有一次上课老师问他，"河北省的西边是哪一个省？"他说是陕西。老师说："错了，是山西，不是陕西。"他说："陕西和山西听起来不是差不多吗？"

后来他在一个钱铺里打工，他又会写，又会算，可是总出错，不是把十字写成千字，就是把千字写成十字。老板生气骂他，他却笑嘻嘻（xiàoxīxī）地说："千字比十字只多一画，不是差不多吗？"

有一天，他为了一件要紧的事，要坐火车到上海去。他不紧不慢地走到火车站，迟了两分钟，火车已经开走了，望着远去火车，他叹（tàn）了一口气说："只好明天再走了，今天走或者明天走，都差不

讲究：对某个方面很重视。

糊涂：不清楚。

何必：为什么一定要……

笑嘻嘻：笑的样子。

叹气：心里感到不痛快而长出一口气。

多。可这火车也真是的，八点三十分开和八点三十二分开，不是差不多吗？"他一面说，一面慢慢地走回家，心里很纳闷儿为什么火车不肯等他两分钟。

有一天，他突然得了急病，连忙叫家人去请东街的汪（wāng）大夫。家人急急忙忙地跑去，一时找不着东街的汪大夫，却把西街的牛医王大夫请来了。差不多先生病在床上，知道找错了人，但心想："王大夫和汪大夫也差不多，让他试试看吧。"于是这位牛医王大夫走近床前，用给牛看病的法子给差不多先生治病。不到一个小时，差不多先生就不行了。

差不多先生临终的时候，把孩子们叫到跟前，断断续续地说："活人和死人其实也差……差……差……不多……，不管什么事，只要……差……差……不多……就……好了……，千万不要太认真。"他说完这句格言（géyán），才放心地走了。

他死后，大家都很称赞差不多先生不管什么事情，样样都想得开，都不计较（jìjiào），真是一位有德行的人。于是大家给他起了个死后的法号（fǎhào），把他叫作圆通大师。

他的名声越传越远，越来越大。大家都把他当作学习的榜样。于是人人都成了一个差不多先生了。

（作者：胡适，有删改）

格言：有深刻含义的语言。

计较：对事情认真理论。

法号：对有修行人的称号。

 副课文练习

一 根据文章，说说发生在差不多先生身上的故事：

差不多先生是个糊涂的人。

他小的时候，有一次＿＿＿＿＿＿＿＿＿＿＿＿＿

＿＿＿＿＿＿＿＿＿＿＿＿＿＿＿＿＿＿＿。

上学以后，有一次_____

_____。

后来他在一个钱铺里打工，_____

_____。

有一天，他为了一件要紧的事，要坐火车到上海去。_____

_____。

有一天，他突然得了急病，_____

_____。

二　阅读文章，回答下面问题：

1. 差不多先生的格言是什么？
2. 差不多先生去世后有什么影响？
3. 这篇文章有什么深刻的含义？
4. 你觉得差不多先生这个人怎么样？你碰到过差不多先生这样的人吗？

8 "打"来"打"去

预习

　　这一课谈的是有关词汇的话题，请你预习课文，并回答下面的问题，看看课文的生词表里，有没有你需要的词语。

　1 课文中讨论了哪个汉字的使用？一般说来，使用这个汉字的词语大多有什么特点？

　2 请你根据下表左栏中提示的含义，写出课文中出现的包含"打"的词语：

含义	包含"打"的词语
用手或器具撞击物体	
和手有关系的动作	
用手玩儿的娱乐活动	
用手做的球类运动	
需要用手势的动作	
先准备好一个容器，然后到某处把液体类的东西盛回来	
人与人发生某种交涉行为	
某些生理现象	

"打"来"打"去

　　每一种语言里都有一些词语，看似平常，实际上含义却非常复杂。学外语的时候，最难搞通的就是这些词语。

　　比方说汉语中的"打"字就不简单。"打"这个汉字只有五画，属于不必简化的汉字，谁都认识，然而它却变化多端，难以掌握。

　　"打"字是提手旁，它最初的含义是"用手或器具撞击物体"，语言学家把这种含义叫"本义"。跟这个本义有关的，有"打人"、"打架"、"打了他一顿"等。

　　日常生活中有不少和手有关的动作，可以用"打"字来表示，但已经不是它的本义了。比方说"打毛衣"，并不是说跟毛衣过不去，非把它好好儿揍一顿，而是要把毛线织成毛衣。"打行李"的"打"在这个基础上又进了一步，是"用绳子把行李捆起来"的意思。现在我们在饭馆儿吃完饭后把食物包起来带走叫"打包"，大概就跟这个含义有一定的关系。另外，你还可以"打开书"、"打开门"、"打字"、"打电脑"、"打电话"、"打太极拳"，这些词语里"打"的含义各不相同，但都和手有一定的关系。

　　一些娱乐活动和球类运动，也可以用"打"，比方说，"打桥牌"、"打扑克"、"打麻将"、"打篮球"、"打排球"、"打网球"、"打乒乓球"、"打高尔夫球"等等。这里的"打"，有"玩儿"的意思，但除非是用手玩儿，否则就不能用"打"，所以，足球就不能"打"，而只能"踢"。

　　有些用"打"的词，看起来似乎和手不沾边儿，比方说，"打招呼"，是"见面互相问候"的意思，"打车"是"乘出租汽车"的意思，这些词语和手有什么关系？但仔细想想，却又不是毫无关联。"打招呼"和"打车"时，人们不是常常要挥一下手打个手势吗？这恐怕就是它们使用"打"的原因吧。

　　那是不是凡是用手的动作都可以用"打"呢？也不尽

然。比方说，同样是用手敲，你可以"打电脑"，却不能"打钢琴"，钢琴只能"弹"；同样是用手拉，你可以"打开抽屉"，却不能"打小提琴"，而只能"拉小提琴"；同样是用手使用一种武器，你可以"打枪"，却只能"射箭"。这到底是为什么？连很多语言学家也感到莫名其妙。

但是"打"的复杂性并不仅限于此。中国人谈到谁家的孩子已经长大时，常常说"已经能打酱油了"，这里的"打"，当然不是打破酱油瓶，而是"到商店去买"的意思。那"买"和"打"是不是同义词呢？当然不是。你不能说"到书店去打书"或"到商场去打衣服"。一般说来，买液体的东西时多用"打"，比方说，"打酱油"、"打醋"、"打酒"、"打油"什么的。那是不是凡是买液体的东西都能用"打"呢？也不尽然。比方说，你很少听到有人说"我到超市打了一瓶可口可乐"。原来，"打"东西的时候，你必须先准备好一个容器，然后到某处把它盛回来。一般来说，"打酱油"、"打醋"都是事先准备好一个瓶子，可是谁见过拿着瓶子到超市去买可口可乐的呢？所以，你拿着饭盒到食堂把饭买回来，叫"打饭"，你拿着热水瓶去水房把热水拎回来，叫"打水"。可见，只要符合了上面说的条件，就可以用"打"，不付钱都没有关系。

"打酱油"的"打"虽然已经和手的关系不太直接，但是毕竟还要用手去"取"和"拿"。"打交道"、"打官司"又不同了。"打交道"是"人和人有来往"的意思；"打官司"是"人和人发生法律纠纷"。这两个"打"都表示"人与人发生某种交涉行为"，看不出和手有什么关系。还有"打坏主意"是"想一个坏主意"，也和手无关。至于"打嗝"、"打哈欠"、"打喷嚏"则完全是一些生理现象，和手毫无关系。这些短语中，为什么要用"打"？恐怕连中国人也说不清楚，只能说"是一种语言习惯"。

《现代汉语词典》中列出的包含"打"的短语多达200多条，实际生活中使用的数目比这还要多。可见，"打"的构词能力极强，的确不简单。

1	* 比方说	bǐfangshuō	比如 such as
2	不简单	bù jiǎndān	不平常，了不起 not simple, not common

◎ 这个小姑娘16岁就取得了世界冠军，真不简单。

3 简化　　　　jiǎnhuà　　【动】　使复杂的变为简单的 to simplify
简化汉字　　简化手续

4 变化多端　　biànhuà duōduān　在多方面变化，使人很难了解 be most changeful
◎ 他们队的战术变化多端，使我们难以应付。

5 难以　　　　nányǐ　　　【副】　很难……，书面语 difficult to, cannot well
难以拒绝　　难以满足
难以掌握　　难以了解

6 撞击　　　　zhuàngjī　　【动】　运动的物体与别的物体猛然碰上，书面语 to ram, to dash
against, to strike

7 打架　　　　dǎ jià　　　　　　人互相打起来 to fight, to come to blows
◎ 上个月，他和小李打了一架。　◎ 那边有几个人打起架来了。

8 揍　　　　　zòu　　　　【动】　打人 to beat, to hit, to strike
◎ 因为他老欺负我，所以我揍了他一顿。
◎ 这次他挨了我的揍，以后再也不敢欺负我了。

9 捆　　　　　kǔn　　　　【动】　用绳子等把东西弄紧 to truss up, to tie up, to bind
◎ 请你用绳子把这些书捆起来。

10 饭馆儿　　　fànguǎnr　　【名】　出售饭菜的店铺 restaurant
一家饭馆儿

11 打包　　　　dǎ bāo　　　　　　用纸等包装物品 to pack, to bale
◎ 请你给我把这个菜打包，我要带走。

12 桥牌　　　　qiáopái　　　【名】　（a game）
打桥牌

13 扑克　　　　pūkè　　　　【名】　Poker（a game）
打扑克

14 麻将　　　　májiàng　　　【名】　mah-jong（a game）
打麻将

15 高尔夫球　　gāo'ěrfūqiú　【名】　golf

16 *除非　　　　chúfēi　　　　【连】　unless
◎ 除非学好汉语，否则不能真正了解中国文化。

17 沾边儿　　　zhān biānr　　　　　有关系，常用否定 to be relevant
◎ 这件事跟我不沾边

18	打招呼	dǎ zhāohu		见面时喊或说"你好"或"喂",或通过动作相互致意,问候 to say hello, to greet, to bid welcome

◎ 走,我们过去跟他们打个招呼。

19	出租	chūzū	【动】	收取一定的租金,供别人定时使用某物 to rent

◎ 校园里有出租自行车的吗?我想租一辆。

20	毫无	háo wú		一点都没有 none

毫无兴趣　毫无关系　毫无准备

21	手势	shǒushì	【名】	手的示意动作,用以表达思想或用以传达命令或愿望 sign, gesture

◎ 教练向裁判打了个暂停的手势。

22	*凡是	fánshì	【连】	只要是 every, any, all

◎ 凡是高级班的学生,都要选一门文化课。

23	钢琴	gāngqín	【名】	piano

一架钢琴　弹钢琴

24	抽屉	chōuti	【名】	drawer

拉开抽屉

25	小提琴	xiǎotíqín	【名】	violin

一把小提琴　拉小提琴

26	箭	jiàn	【名】	arrow

射箭

27	限于	xiànyú	【动】	受某些条件或情形的限制;局限在某一范围之内 to be limited to

◎ 这次考试的范围不限于第2单元。

28	酱油	jiàngyóu	【名】	soy sauce
29	同义词	tóngyìcí	【名】	意思相同的词 synonym

◎ "西红柿"和"番茄"是同义词。

30	液体	yètǐ	【名】	liquid

◎ 水是一种液体。

31	醋	cù	【名】	vinegar
32	超市	chāoshì	【名】	supermarket

◎ 那边新开了一家超市。

33	容器	róngqì	【名】	用来包装或装物品的东西 container
34	盛	chéng	【动】	把东西放在容器里 to fill

◎ 你去给我盛一碗汤，好吗？

35	事先	shìxiān	【名】	事情开始之前 beforehand

◎ 我事先并不知道这件事儿。

36	饭盒	fànhé	【名】	装饭用的盒子 canteen for food
37	拎	līn	【动】	提 to lift or carry by hand

◎ 我刚才看见她拎着包出去了。　◎ 这个包太沉了，我拎不动／起来。

38	毕竟	bìjìng	【副】	终究；到底 after all, at all

◎ 天气虽然冷，可是毕竟是三月了，风没有冬天那么刺骨了。

39	打交道	dǎ jiāodào		与……交往 to make dealings with

◎ 我从未跟他打过交道。

40	来往	láiwǎng	【动】	联系 to contact

有来往　来往密切

41	打官司	dǎ guānsi		在法院通过法津程序解决问题 to go to law, to carry on lawsuit to file suit, to go to court

◎ 听说中国人很不喜欢跟别人打官司，是真的吗？

42	纠纷	jiūfēn	【名】	争执不下的事情 dispute

产生纠纷　调节纠纷

经济纠纷　领土纠纷

43	交涉	jiāoshè	【动】	与他人相互协商以便对某事得出解决办法 to negotiate

◎ 我们不打算在这个问题上继续与他交涉。

44	行为	xíngwéi	【名】	举止行动 behavior, conduct

◎ 问别人的收入是一种干涉别人隐私的行为。

45	打嗝	dǎ gé		to hiccup
46	打哈欠	dǎ hāqian		人困的时候张大嘴的动作 to yawn

◎ 因为夜里休息不好，开会的时候他老打哈欠。

47	打喷嚏	dǎ pēntì		to sneeze
48	生理	shēnglǐ	【名】	和身体有关的 physiology

◎ 医生认为，他的病不是生理上的，而是心理上的。

| 49 | *可见 | kějiàn | 【动】 | 可以知道 it is thus clear (or evident, obvious) that |

◎ 连语言学家也搞不清这个词的用法，可见它的含义非常复杂。

| 50 | 构词 | gòucí | 【动】 | 语素和语素结合组成词 to form a word |

| 51 | 极 | jí | 【副】 | 很，书面语 very |

◎ 专家认为昨天的事故极有可能与天气有关。

| 52 | 的确 | díquè | 【副】 | 完全确实，毫无疑问 indeed, really |

◎ 这件事情我的确不知道。 ◎ 我的的确确不会跳舞。

词语辨析

1. 毫无 毫不

两个词都表示否定，后面都跟双音节词语，但是"毫无"的意思是"一点儿都没有……"，后面多跟名词性词语，如："毫无道理、毫无必要"。而"毫不"的意思是"一点儿都不……"，后面多跟动词性词语，如："毫不在意、毫不动摇"。

2. 交涉 干涉

两个词都是动词，但意思不同。"交涉"是与他人相互协商以便对某事作出解决的意思，常用格式是："与……交涉"，如："我们不打算在这个问题上继续与他交涉。"而"干涉"是一个贬义词，指强行管别人的事情，如："父母不应该干涉子女的婚姻。"

词语练习

一　根据拼音写出汉字，然后把它们填在合适的句子里：

Simplify　hit　fight　tie up／bundle up　restaurant

jiǎnhuà　zòu　dǎ jià　kǔn　fànguǎnr
　　1　　　2　　　3　　　4　　　5

1. 学校西门外的小（fànguǎnr）卖的是四川菜。

2. 你是不是又和人（dǎ jià 3）了？不然你的眼睛怎么青了？

3. 这些汉字太复杂，需要进一步（1）。

4. 我们把这些书（4）在一起吧，这样拿起来方便一些。

5. 听说他因为考试不及格被爸爸（2）了一顿。

mahjong　be relevant　cut noodle　piano　drawer

májiàng　zhān biānr　shǒushì　gāngqín　chōuti
　　1　　　2　　　　3　　　　4　　　　5

6. 小时候，父母不让我们打（1）。

7. 这件事情跟你不（2），你不要管。

8. 他把信放在（5）里，可是忘了上锁。

9. 他向我打了个（3），让我不要说话。

10. 昨天晚上，著名（4）家李明在保利剧院演奏了肖邦的作品。

limited to　moist　liquid　vinegar　to fill

xiànyú　chāoshì　yètǐ　cù　chéng
　1　　　2　　　3　　4　　5

11. 听说山西人都喜欢吃（4），是吗？

12. 你去（2）的时候买一瓶酱油吧。

13. 众所周知，（3）在一定温度下会变成气体。

14. 选修这门课的学生（1）高级班。

15. 你再帮我（5）一碗米饭，好吗？

jiūfēn　jiāoshè　xíngwéi　díquè　dǎ hāqian
　1　　　2　　　3　　　4　　　5

16. 由于合同问题而引发的经济（1）非常多。

17. 他（4）是一个品德高尚的人。

18. 因为夜里休息不好，上课的时候他老（5）。

19. 这种干涉别人隐私的（3）在现实生活中常常发生。

20. 这件事情由老王去（2），你就不要出面了。

二 把下面的词语填在最合适的句子中：

not at all *completely lack* *negotiate* *to interfere*

毫不　　毫无　　交涉　　干涉
1　　　2　　　3　　　4

1. 我认为你这样抱怨他是（ 3 ）道理的。

2. 虽然我已经警告过他好几次，但是他（ 1 ）在乎。

3. 随便问别人的收入，是一种（ 2 ）别人隐私的行为。

4. 楼上的邻居深夜开舞会，虽然我们已经上去（ 4 ）了好几次，可还是（　　）结果。

三 在下面的名词前填上合适的单音节动词：

（　　）高尔夫球　　　　（　　）钢琴　　　　　（　　）枪

（　　）足球　　　　　　（　　）小提琴　　　　（　　）箭

四 根据下面的句子写出包含"打"的短语，然后用这个短语造一个句子：

1. 见面互相问候。（　　　　　　）

2. 乘出租汽车。（　　　　　　）

3. 人和人有来往。（　　　　　　）

4. 人和人发生法律纠纷。（　　　　　　）

5. 想一个坏主意。（　　　　　　）

五 说出下面句子中画线词语的意思，并用这个词语造句：

1. 这个孩子十三岁就上了北大，<u>真不简单</u>。

A. 很困难

B. 很复杂

C. 了不起

D. 不容易

2. 不知道为什么她总是<u>跟我过不去</u>。

A. 不能一起走

B. 碰不见我

C. 对我不友好

D. 不能在一起生活

3. 这件事情跟你<u>不沾边儿</u>。

    A. 没关系

    B. 不在乎

    C. 不麻烦

    D. 没问题

4. 我看见她<u>拎</u>着书包出去了。

    A. 提

    B. 背

    C. 挥

    D. 捆

5. 我出发那天，他<u>非要</u>到机场去送我。

    A. 没有

    B. 一定要

    C. 不想

    D. 可能

六　查字典，看看下面词语和其中的黑体字是什么意思，然后再写出两个由这个黑体字组成的词语：

简**化**　　**简**单　　＿＿＿＿＿＿＿　　　　＿＿＿＿＿＿＿

简**化**　　美**化**　　＿＿＿＿＿＿＿　　　　＿＿＿＿＿＿＿

饭**馆**　　体育**馆**　　＿＿＿＿＿＿＿　　　　＿＿＿＿＿＿＿

交涉　　**交**往　　＿＿＿＿＿＿＿　　　　＿＿＿＿＿＿＿

复杂**性**　积极**性**　＿＿＿＿＿＿＿　　　　＿＿＿＿＿＿＿

语言点

1 比方说

● 每一种语言里都有一些词语，看似平常，实际上含义却非常复杂。学外语的时候，最难搞通的就是这些词语。比方说汉语中的"打"字就不简单。

"比方说"常用在口语中，它的后面常常是一些例子，用来进一步说明或补充前面所说的情况。例如：

① 我去过中国很多大城市，比方说北京、上海、香港什么的。

② 大自然中有很多动人的音乐，比方说树林中的鸟声、海边的潮声、田野里的蛙声和虫声。

2 不是……而是……

● "打毛衣"，并不是说跟毛衣过不去，非把它好好儿揍一顿，而是要把毛线织成毛衣。

在这一结构中，"不是"的后面是被否定的情况，"而是"的后面是真实的情况。例如：

① 河北省的西边不是陕西省，而是山西省。

② 孩子最近常常哭闹不是孩子不听话，而是他正在长牙，身体有点儿不舒服。

3 A 跟/和 B 有(……的) 关系/无关

● 这些词语里"打"的含义各不相同，但都和手有一定的关系。

● "打坏主意"是"想一个坏主意"，和手无关。

这组结构用来说明人或事物之间有某种关联或没有关联。根据关联的大小，在"关系"前面可以加相应的修饰语，如"一定的"、"很大的"、"密切的"、"直接的"等。"无关"也可以换成"毫无关系"或"毫无关联"。例如：

① 在我看来，隐私观念的变化跟社会制度有一定的关系。

② 那位医学家在文章里说，这个地区新出现的疾病和空气污染有直接的关系。

③ 这件事和我无关，你不要来问我。

④ 外交部发言人称，这次军事演习和两国的外交战毫无关系。

4 除非……否则……

● 这里的"打"，有"玩儿"的意思，但除非是用手玩儿，否则就不能用"打"。

这一结构表示"除非"后面是一件事情唯一的先决条件，只有符合这一条件，才能产生某种结果，不然的话就不能产生这种结果。例如：

① 除非你能正确理解幸福的含义，否则你永远都不可能幸福。

② 除非我亲眼看见，否则我不会相信有这种事情。

③　除非学好汉语，否则不能真正了解中国文化。

5 凡是……都……

● 那是不是凡是用手的动作都可以用"打"呢？也不尽然。

　　这个结构表示，只要符合"凡是"后面的条件，就一定会有"都"之后的情况或结果，没有例外。有时，"都"之前会有"一律""全部"等配合使用。例如：

①　凡是中级班的学生，都可以选这门课。

②　凡是参加合唱比赛的同学，一律都要穿西服、打领带。

6 可见

● 《现代汉语词典》中列出的包含"打"的短语多达200多条，可见，"打"的构词能力极强。

　　"可见"承接上文，常用在第二个分句开头，表示从前面的情况可以得出后面的结论。连接长句或段落时，也可以说"由此可见"。例如：

①　连语言学家都搞不清楚这个词的用法，可见它的含义非常复杂。

②　调查发现有35%的毕业生愿意到外企工作，28%的毕业生愿意到民营企业工作。由此可见，国有企业已经不再是大学毕业生的唯一选择。

语言点练习

一　用所给的词语完成对话或句子：

1. 我喜欢从事户外活动，_____。（比方说）

2. 中国人非常懂得以柔克刚的道理，_____。（比方说）

3. A：那是你的女朋友吗？

　　B：_____。（不是……而是……）

4. A：你昨天开会缺席，是生病了吗？

　　B：_____。（不是……而是……）

5. A：你认为这次传染病是什么引起的？

　　B：_____。（A 和 B 有……的关系）

6. A: 有的孩子为什么那么小就开始抽烟喝酒？

   B: _____。（A和B有……的关系）

7. A: 我们怎么才能实现自己的梦想？

   B: _____。（除非……否则……）

8. A: 你认为怎样才能防止全球气温变暖？

   B: _____。（除非……否则……）

9. A: 哪些人可以到这个图书馆借书？

   B: _____。（凡是……都……）

10. A: 你认为哪些国家曾经受到过中国文化的影响？

    B: _____。（凡是……都……）

11. 我到现在也没有找到一个能理解自己的朋友，_____。

    （可见）

12. 中国人把自己的小孩儿叫作"犬子"，把自己的房子叫作"寒舍"，____

    _____。（可见）

二 用本课重要的语言点造句：

比方说

不是……而是……

A和B有……的关系

除非……否则……

凡是……都……

可见

综合练习 ●

一 大声读下面这些课文中的句子，复习"把"字句的用法：

1. "打毛衣"，并不是说跟毛衣过不去，非把它好好揍一顿，而是要把毛线织成毛衣。

2. "打行李"是"用绳子把行李捆起来"的意思。

3. 现在我们在饭馆儿吃完饭后把食物包起来带走叫"打包"。

4. 原来，"打"东西的时候，你必须先准备好一个容器，然后到某处把它盛回来。

5. 你拿着饭盒到食堂把饭买回来，叫"打饭"，

6. 你拿着热水瓶去水房把热水拎回来，叫"打水"。

二 查词典，看除了课文中提到的以外，还有哪些包含"打"的词语，然后用这些词语作例子，根据下面所给的提示，完成短文：

● "打"字是提手旁，日常生活中有不少和手有关的动作，可以用"打"字来表示。比方说……

●一些娱乐活动和球类运动，也可以用"打"，比方说……

●有些用"打"的词，看起来似乎和手不沾边儿，但仔细想想，却又不是毫无关联。比方说……

●并不是凡是用手的动作都可以用"打"。比方说……

●有些包含"打"的短语和手毫无关系。比方说……

●《现代汉语词典》中列出的包含"打"的短语多达 200 多条，可见，"打"的构词能力极强，的确不简单。

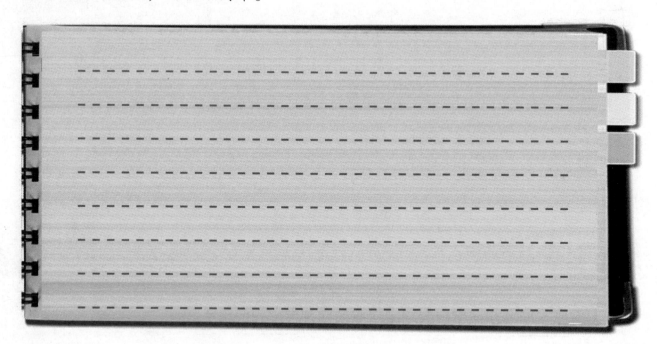

有朋自远方来

外来语，是指从别种语言里吸收过来的词汇。它和文化交流有直接的关系。世界上有些语言中外来语所占比例（bǐlì）极高，比方说，现代日语中外来语占词汇总量的10%，如果加上早期进入的汉语，日语中外来语的比例竟高达50%。然而，日语并非外来语最多的语种，据说，英语词汇中外来语的比重比日语还高。

与其他语言相比，汉语的一个突出的特点是外来语非常少。但是这并不意味着汉语很少受到世界其他文化的影响，而是汉语在吸收外来语的过程中，从不放弃对它们进行改造，从而使很多外来语已经失去了它们"外来"的特点。一般说来，汉语中由外来事物而产生的词汇分为下列几种类型：

第一种是"纯音译"。比方说葡萄、狮子、塔（tǎ）、佛（fó）、鸦片（yāpiàn）、沙发、咖啡、巧克力、摩托、幽默、休克等。

第二种是"音兼义"。比方说基因（jīyīn）、黑客（hēikè）、可口可乐等。

第三种是"音加义"。比方说卡车、卡片、鼠标、酒吧等。

第四种是"纯义译"的词汇。比方说超市、高速公路等。

第五种是用"比拟法"造词，把汉语中本来有的名称加上"番、胡、洋、西"，来给本国文化中没有的事物命名。比方说番茄（fānqié）、胡萝卜、洋火、洋葱、西装、西红柿等。

第六种是完全用汉语为外来事物造词。比方说水

比例：proportion

塔：Budhhist pagoda
佛：Buddha
鸦片：opium
基因：gene
黑客：hacker

番茄：西红柿。

泥、火柴、电脑、电视、照相机、传真等。

前三种是外来语，后三种属于在外来事物的刺激（cìjī）下自造的词汇。第一种是最纯粹（chúncuì）的外来语，但在汉语中比例很小，并且随着时间的发展日益转变成第二至第六种词汇。最终保留下来的纯粹的外来语非常少。比如，梵阿玲变成了小提琴，维他命换成了维生素。甚至留下一个"洋"字也觉得别扭，于是洋火改造成火柴，洋灰换成水泥等等。没有被汉语"消化"掉，保留住声音本色的外来语少之又少。仔细分析，这些词语也大多因为和特定的汉字结合而发生了"汉化"，比方说"葡萄"有草字头，"狮子"有犬旁，今天大多数中国人都不会了解它们外来的身份。

除了上述（shàngshù）几种在外来文化影响下产生的外来语和自造词外，汉语中还有另一种特殊的外来语，即来自日本的外来语。19世纪中后期日本在吸收西方文化时，用汉字意译了大量西方词汇，这一时期也正是中国向西方学习的新文化运动时期（xīn wénhuà yùndòng shíqī），于是中国人干脆将日本人用汉字造出的新词吸收进来。这些汉字词语进入中国后，立刻取代了大量音译的外来语。这一时期中国从日语中接受的词汇竟多达800个以上，这些词语为中国文化的转型作出了很大的贡献。由于这些词语从特征上说和一般汉语词汇没有任何区别，因此今天很多中国人根本不知道它们是外来语。

可见，一个外来语除非在语音上附加一定的汉字语义，尽量中国化，否则很难在汉语里生根。

因为汉文化善于不露痕迹地将外来文化消化掉，因此外来语在数量上远远低于汉文化中吸收的全部外来文化。

刺激：强烈的影响。

纯粹：地道的。

上述：上面提到的。

新文化运动时期：指中国1919年"五四运动"前后的文化革命运动时期，这一时期，中国的知识分子开始对中国传统文化进行彻底的反思。

副课文练习

一 阅读文章，根据文章内容，完成下面的段落：

　　一般说来，汉语中由外来事物而产生的词汇分为下列几种类型：

　　第一种是_____。比方说_____、_____、_____、_____、_____、_____等。

　　第二种是_____。比方说_____、_____、_____、_____等。

　　第三种是_____。比方说_____、_____、_____等。

　　第四种是_____。比方说_____、_____等。

　　第五种是_____，把汉语中本来有的名称加上是_____、_____、_____，来给本国文化中没有的事物命名。比方说_____、_____、_____等。

　　第六种是完全用_____为外来事物造词。比方说_____、_____、_____等。

　　前三种是外来语，后三种属于_____的词汇。

二 选词填空：

　　与其他语言（1），汉语的一个突出的特点是外来语非常少。（2）这并不意味着汉语很少受到世界其他文化的影响，（3）汉语在吸收外来语的过程中，（4）放弃对它们进行改造，从而（5）很多外来语已经失去了它们"外来"的特点。

1. A. 来说　　　　B. 相比　　　　C. 相同
2. A. 所以　　　　B. 而且　　　　C. 但是
3. A. 就是　　　　B. 而是　　　　C. 要是
4. A. 从不　　　　B. 从来　　　　C. 一向
5. A. 把　　　　　B. 被　　　　　C. 使

三 根据文章，回答下面的问题：

1. 这篇文章中提到了哪几种外来语比例很高的语言？

2. 根据本文，现在汉语外来语中来自哪种语言的外来语最多？

3. 为什么人们会觉得汉语中外来语很少？

4. 一个外来语怎样才能在汉语中生根？

四　讨论下面的问题：

1. 请你谈谈自己母语中的外来语的情况。

2. 你觉得自己母语吸收外来语的方式和汉语有什么不同？

从 "古代" 到 "现代"

预习

　　这一课谈的是有关中国古今变化的话题，请你预习课文，看看古代中国和现代中国有哪些不同？然后填写下表。看看课文的生词表里，有没有你需要的词语。

	古代	现代
人们读的书		
人们获得知识和消息的途径		
人们的社会生活和社交范围		
地理远近观念		
交通工具		
日常生活内容		
饮食		
居住		
家庭结构		

从"古代"到"现代"

如果可以回到百年以前的中国，你就会看到，那个时候的中国和现在大不一样。举几个例子，人们读的书不是休闲杂志、电脑书籍、报纸漫画，而是儒家的经典，以及和这些经典有关的儿童课本、考试范文，当然也有一些小说、散文和诗歌，但是那主要是上层知识分子的读物；人们获得知识和消息的途径主要不是报纸、广播、电视这些现代传媒，而是一些刻印的书本、道听途说的见闻以及由父老乡亲传授的经验；人们的社会生活主要是在大家族和家乡中进行，社交范围一般限于熟人的圈子；人们关于地理远近的观念和今天大不相同，从北京到天津就是出远门儿了。对一般人来说，不断的婚丧嫁娶，加上一些家庭成员的生日和逢年过节祭祀祖先的活动，就是最普通的日常生活内容。除此之外，佛教与道教同人们的生活隔得并不远，到庙里去祈求佛菩萨保佑家人平安，也是很多人日常生活的重要内容之一。饮食方面呢，无论粗细，传统的米饭、面饼、小菜加上饮茶，都是主要的东西，吃饭是大事，占了生活中的不少时间。

可是，当今天的中国人回头看看这些旧时代的生活时，会觉得有些陌生，有一定的距离了。这是因为今天的中国与那时相比发生了很大的变化，这个变化的开端是19世纪末。一般人们都同意，自从19世纪近代西方文明进入中国，使中国经历了一次两千年来从未有过的巨变，现代的中国似乎与传统的中国有了"断裂"。比方说，今天的汉语已经加入了太多的现代或西方的新词汇，报纸、信件、谈话中有好多"经济"、"自由"、"民主"这些似曾相识却意义不同

的旧词，也有"超市"、"网络"、"黑客"这些过去从未有过的新词，口语中也越来越多地有了"一般说来"、"因为所以"、"对我来说"这样的语句，甚至还有"秀"（show）、"酷"（cool）、"WTO"这样的进口词，如果一个一百年以前的人从坟墓中走出来，就会像张艺谋拍的《秦俑》中的

那个人[注1]，完全听不懂我们说的话。

　　另外，今天的中国已经拥有了太多的现代城市、现代交通、现代通信。过去我们生活的世界，是四合院、园林、农舍，人们从一个地方到另一个地方，要乘牛车马车，所以从广东把荔枝快运到长安，就成为奢侈的话题；而苏轼被贬到海南，也不像今天的旅游节目那么充满浪漫色彩；至于信件，更比不上电子邮件和传真，所以那个时候的中国人关于空间远近、时间快慢的观念，和今天大不相同，今天的人们才真正体会到古人所期望的"天涯若比邻"的感觉。

　　同样，今天中国的日常生活也已经变得越来越西化了。拿吃来说，吃饭的观念已经不同于过去，麦当劳成了很多年轻人的最爱。再拿住来说，今天人与人可能上下楼住得很近，但公寓式的住房却使人情越来越淡薄。至于大家族，那就更少见了，七姑八姨表兄表弟这些复杂的家庭关系，都已经越来越像田园诗一样遥远了，越来越多的大家庭已经被小家庭所代替，传统中国社会秩序建立的基础，即家族关系、家庭礼仪和伦理观念，正在发生很大的改变。

　　总之，与过去相比，今天的中国确实发生了巨大的变化。生活在现代中国的人，当然要了解现代中国的事情，但同时也应该了解传统的中国。因为，现代中国毕竟是从古代中国延续下来的，这就像一条河流，如果不了解它的源头，就很难确定它未来的流向。

（选自葛兆光《中国文化十讲》，有删改）

◉ 注解

　　张艺谋拍的《秦俑》：全名为《古今大战秦俑情》，由张艺谋导演并主演，讲述了一个浪漫的爱情故事。其中的男主人公本来是秦始皇时期的一个将军，因为吃了长生药，虽然被作为兵马俑埋在地下2000多年，但是在现代复活后，仍然爱着已经轮回数世的女主人公。

词语表

1	休闲	xiūxián	【动】	工作之余的休息和娱乐 rest and recreation at leisure

◎ 休闲方式

2	漫画	mànhuà	【名】	用简单而夸张的手法作的画 caricature, cartoon

3	经典	jīngdiǎn	【名】	指具有典范性、权威性的著作 classics

◎ 人应该多阅读经典著作。

			【形】	具有典范性、权威性的 classic

◎ 这部上个世纪 30 年代的电影很经典。

4	散文	sǎnwén	【名】	一种文学体裁，包括杂文、随笔、游记等 essay, prose

一篇优美的散文

5	知识分子	zhīshi fènzǐ		具有较高文化水平、从事脑力工作的人，例如从事文学和艺术工作的人 intellectual

◎ 他父亲在大学教书，是一个老知识分子。

6	途径	tújìng	【名】	方法；路子 way, channel, path

◎ 我们希望这件事情通过外交途径解决。

7	传媒	chuánméi	【名】	报纸、广播、电视、网络等新闻手段 media

◎ 他是搞传媒的。

8	道听途说	dào tīng tú shuō		路上听来的消息，指没有根据的传闻 hearsay

◎ 你怎么能相信这种道听途说的小道消息呢？

9	见闻	jiànwén	【名】	看到听到的情况 what one sees and hears

◎ 他在文章中讲了在欧洲的见闻。

10	父老乡亲	fùlǎo xiāngqīn		故乡的长辈邻里 elders (of a country or district)

11	传授	chuánshòu	【动】	讲解、教授学问、技艺 to pass on, to teach

◎ 他父亲把针灸的方法传授给了他。

12	家族	jiāzú	【名】	具有血缘关系的人组成一个社会群体，通常有几代人 clan, family

13	社交	shèjiāo	【名】	指社会上的交际往来 social intercourse, social contact

◎ 他有很强的社交才能，常常从事各种社交活动

| 14 | 熟人 | shúrén | 【名】 | 熟悉的人 acquaintance |

◎ 我刚来这儿，一个熟人都没有。

| 15 | 圈子 | quānzi | 【名】 | 集体或生活范围 circle, group |

◎ 你只在留学生圈子里生活，你的生活 / 活动 / 社交圈子太窄了。

| 16 | 出远门儿 | chū yuǎn ménr | | 离家外出远行 to go on a long journey |

◎ 最近我要出趟远门。

| 17 | 婚丧嫁娶 | hūn sàng jià qǔ | | 结婚或送葬的仪式 wedding ceremony and funeral ceremony |

◎ 在中国古代，婚丧嫁娶是最重要的日常生活内容。

| 18 | 逢年过节 | féng nián guò jié | | 在新年之际或在其他节日里 on Spring Festival and other festivals |

◎ 他逢年过节，总要给我打电话。

| 19 | 祭祀 | jìsì | 【动】 | 置备供品对神佛或祖先行礼，表示崇敬并祈求保佑 to offer sacrifice to gods or ancesters |

◎ 逢年过节，他总要祭祀祖先。

| 20 | 庙 | miào | 【名】 | 古时供奉神佛或名人的处所 temple, shrine |

| 21 | 祈求 | qíqiú | 【动】 | 谦卑地恳求 to pray for |

◎ 他祈求上天帮助。

| 22 | 佛 | fó | 【名】 | 指创立佛教的释迦牟尼佛和一切明白宇宙和人生真相的觉者 Buddha |

佛教　佛学　佛经　佛法

◎ 得知离家的孩子已经找到，妈妈忍不住说了声："阿弥陀佛！"

| 23 | 菩萨 | púsà | 【名】 | Bodhisattva |

观音菩萨　菩萨心肠

◎ 她这个人心肠特别好，简直像一个菩萨。

| 24 | 保佑 | bǎoyòu | 【动】 | 指神力的护卫帮助 to bless and protect |

◎ 逢年过节，他常常到庙里祈求佛菩萨保佑全家平安。

| 25 | 陌生 | mòshēng | 【形】 | 事先不知道，没有听说或没有看见过的 strange, unfamiliar |

◎ 这个地方对我来说很陌生。

26	开端	kāiduān	【名】	开始，事情的起头（书面语）beginning, start, outset

◎ 良好的开端是成功的一半。

27	断裂	duànliè	【动】	受到外力后，断开 to break

◎ 由于地震，桥梁发生了断裂。

28	似曾相识	sì céng xiāngshí		好像以前认识 seem to have met before

◎ 这些词语看起来似曾相识，可是我已经想不起来在哪儿学过了。

29	网络	wǎngluò	【名】	internet
30	黑客	hēikè	【名】	hacker
31	秀	xiù	【名】	某种表演或展示 show

时装秀　脱口秀　做秀

32	酷	kù	【形】	冷漠而潇洒的 cool

◎ 你戴上这副太阳镜，简直酷极了！

33	坟墓	fénmù	【名】	安葬死者的地方 tomb

◎ 有人说，婚姻是爱情的坟墓，我不同意这种看法。

34	四合院	sìhéyuàn	【名】	北京传统的住宅形式，四边是房屋，中间是庭院 Siheyuan, a traditional Chinese residential courtyard in Beijing

一座四合院

35	园林	yuánlín	【名】	专供人游玩儿休息的种植了花草树木的地方 landscape garden, park

园林艺术

36	荔枝	lìzhī	【名】	中国南方的一种水果 lychee
37	奢侈	shēchǐ	【形】	为了追求过分的享受，花太多的钱 luxurious, extravagant

奢侈的生活　奢侈的享受

◎ 我觉得花几千块钱买一条裙子太奢侈了。

38	贬	biǎn	【动】	古代官员被降职并被派到离首都很远的地方；给予低的评价；价值降低 to abase, to devaluate

◎ 古时候，皇帝常常把自己不喜欢的官员贬到很远的地方。

◎ 他总喜欢贬别人、抬自己。　　◎ 最近美元又贬了。

39	浪漫	làngmàn	【形】	romantic

◎ 这是一个浪漫的爱情故事。

40	色彩	sècǎi	【名】	颜色，比喻某种情调或思想倾向 color, hue, colouration, tinge

◎ 这部电影充满了浪漫 / 神秘色彩。

41	天涯若比邻	tiānyá ruò bǐlín		住得很远，但好像离得很近 distance can't keep you two apart

◎ 通过网络可以很方便地和国外的朋友联系，真是天涯若比邻。

42	公寓	gōngyù	【名】	由居住单元组成的楼房，每层分隔成数家，各层房间格局大致相同 apartment house, block of flats

◎ 我现在住在一套公寓里.

43	淡薄	dànbó	【形】	感情不深厚，印象不深刻 cold, faint

人情淡薄　印象淡薄

44	七姑八姨	qī gū bā yí		亲戚关系很复杂

◎ 他们家七姑八姨的，亲戚特别多。

45	表兄	biǎoxiōng	【名】	姑母、姨母或舅父的儿子中比自己年长的人

46	田园诗	tiányuánshī	【名】	歌咏田园生活的诗歌 idyll, pastoral poetry

一首优美的田园诗

47	遥远	yáoyuǎn	【形】	很远，书面语 far; distant; remote; faraway

遥远的未来　遥远的路程

48	秩序	zhìxù	【名】	次序；整齐而有条理的状况 order; sequence

◎ 政府已经采取了有效的措施来维持社会 / 经济秩序。

49	即	jí	【动】	就是 viz.

◎ 有些中国人给孩子起名字时要研究五行，即金、木、水、火、土。

50	礼仪	lǐyí	【名】	礼节和仪式 rite; ritual

◎ 儒家文化很注重 / 讲究礼仪。

51	伦理	lúnlǐ	【名】	人际关系中应该遵守的道德准则 ethic

◎ 伦理关系是儒家思想的核心内容之一。

52	巨大	jùdà	【形】	很大 huge; tremendous

巨大的变化　巨大的成功

54 延续　　　yánxù　　　　【动】　照原来的样子继续下去 to continue, to last, to go on

◎ 两千多年来，端午节吃粽子的传统就这样延续了下来，以后还会延续下去。

 55 源头　　　yuántóu　　　【名】　水发源处。比喻事物的本源 source of a river

◎ 黄河和长江的源头都在青藏高原。

◉ 专名

1. 儒家	Rújiā	(the Confucianists) 支持孔子学说的学派
2. 佛教	Fójiào	(Buddhism) 世界主要宗教之一
3. 道教	Dàojiào	(Taoism) 中国主要宗教之一，东汉张道陵创立，奉老子为教祖
4. 张艺谋	Zhāng Yìmóu	中国当代著名导演。主要代表作有《红高粱》、《大红灯笼高高挂》、《古今大战秦俑情》、《菊豆》等。
5. 秦俑	Qínyǒng	全称秦始皇兵马俑，是中国第一个皇帝秦始皇陪葬的陶制兵马方阵
6. 苏轼	Sū Shì	（1037 — 1101）北宋时期（960 — 1126）著名文学家、书画家，号东坡居士。

词语辨析 •••••••••••••••••••••••••••••

1. 延续　继续

　　两个词语都是动词，都表示事物持续，但是"延续"一般表示某项政策或风俗习惯等不做改变，始终保持，如："两千多年来，端午节吃粽子的传统就这样延续了下来。"而"继续"可以表示某件事中途停顿后再开始，如："休息之后，继续比赛"。

2. 巨大　庞大

　　两个词都表示大，但是"巨大"是中性词，只是客观描述，如："巨大的石头，巨大的变化"。"庞大"则表示大得超过了应有规模，略带贬义。如："庞大的建筑物，庞大的开支"。

3. 秩序　顺序

两个词都是名词，都有"有序"的含义，但是"秩序"的语义侧重点是"不乱"，如："交通秩序、会场秩序、经济秩序"。而"顺序"的语义侧重点是"按一定规律排列"如："先后顺序，大小顺序，打乱顺序"。

词语练习

一 根据拼音写出汉字，然后把它们填在合适的句子里：

xiūxián　mànhuà　Rújiā　sǎnwén　zhīshi fènzǐ
　1　　　2　　　3　　　4　　　5

1. 实行双休日制度以后，人们的（　）方式发生了很大的变化。
2. 你已经这么大了，怎么喜欢看（　）书？
3. 《鸟声的再版》是一篇美丽的（　）。
4. 在我看来，要了解中国文化，首先要研究（　）经典。
5. 有人说，（　）是社会的良心，你同意这个观点吗？

tújìng　chuánméi　jiànwén　shúrén　quānzi　jìsì
　1　　　2　　　3　　　4　　　5　　　6

6. 现代人获取消息的主要（　）是广播、电视、报纸等（　）。
7. 回国后，我打算把在中国的（　）写成一本书。
8. 你的社交（　）太窄了，应该和更多的人来往。
9. 每个人都会有很多（　），但朋友却是可遇而不可求的。
10. 儒家认为，（　）祖先可以增进活着的人的关系。

miào　púsà　bǎoyòu　mòshēng　jùdà　kāiduān
　1　　2　　3　　　4　　　5　　　6

11. 逢年过节，中国人常常到（　）里祈求佛（　）家人的平安。
12. 中国人看到心地善良的人，常常说这个人是（　）心肠。

13. 这个地方我很（ 4 ），没有什么熟人。

14. 改革开放以后，中国发生了（ 5 ）的变化。

15. 有人说，中国现代史的（ 6 ）是发生在1919年的"五四运动"。

fénmù　wǎngluò　kù　shēchǐ　biǎn
　1　　　2　　　3　　4　　9

16. 埃及的金字塔是以前国王的（ 1 ）。

17. 很多黑客通过（ 2 ）传播病毒。

18. 你穿上这身黑衣服，再戴上黑色的太阳镜，真是（ 3 ）极了。

19. 什么？用牛奶洗澡？你也太（ 4 ）了吧。

20. 听说最近美元又（ 5 ）了。

làngmàn　yáoyuǎn　dànbó　yánxù　lúnlǐ
romantic　remote distant　thin　continue go on　join bats

21. 李白的诗歌充满了（ 1 ）色彩。

22. 在（ 2 ）的东方，有一个崇拜龙的国家。

23. 人们的生活水平提高了，人情却越来越（ 3 ）了。

24. 据说，春节这个节日在中国已经（ 4 ）了上千年。

25. 家庭（ 5 ）观念是中国社会的基础。

二 把下面的词语填在最合适的句子中：

yan xu　continue go on　solder　pang da　zhi xu　shunxu
延续　继续　巨大　庞大　秩序　顺序
continue go on last x　　　　mag（solder）　（big thing）　order disorder　order

1. 过春节的习俗从汉代起已经（ 1 ）了两千多年。

2. 暂停之后，比赛（ 2 ）进行。

3. （ 4 ）的军费开支严重地影响了这个国家的经济。

4. 改革开放之后，中国发生了（ 3 ）的变化。

5. 这些生词是按照什么（ 6 ）排列的？

6. 由于这个歌星的粉丝（fans）很多，警察不得不到演唱会现场去维持
（ 5 ）。

三 在下面的形容词后填上合适的名词，并用这个组合造句：

巨大的（　　　）　　　浪漫的（　　　）　　　遥远的（　　　）

陌生的（　　　）　　　淡薄的（　　　）　　　奢侈的（　　　）

四 在下面的句子中填上课文中出现的合适的动词：

1. 奶奶（去）远门儿了，下个月才回来。（单音节动词）

2. 因为生词很多，预习课文时，查词典（用）了我不少时间。
（单音节动词）

3. 这次我们去上海要（坐）火车去。（单音节动词）

4. 这个词的用法我还不太清楚，您能给我（说）个例子吗？
（单音节动词）

5.《英雄》是这位著名的导演刚（拍）的一部影片。（单音节动词）

6. 20 世纪以来，中国（发生）了巨大的变化。（双音节动词）

7. 你认为中国社会秩序（建立）的基础是什么？（双音节动词）

8. 这首诗歌中（充满）了浪漫色彩。（双音节动词）

五 根据下面的句子写出一个成语，然后用这个成语造一个句子：

1. 路上听来的消息。（duo ting tu shuo）

2. 过年过节的时候。（feng nian guo jie）

3. 仿佛以前认识。（siang xiang shi）

4. 很多亲戚。（qi gu ba yi）

5. 虽然离得很远，却好像邻居一样。（tian ya buo bi lin）

六 查字典，看看下面词语和其中的黑体字是什么意思，然后再写出两个由这个黑
体字组成的词语：

见**闻**　　新**闻**　　_____　　_____

熟人　　**熟**悉　　_____　　_____

开**端**　　极**端**　　_____　　_____

断**裂**　分**裂** ＿＿＿＿＿＿＿　＿＿＿＿＿＿＿

源头　起**源** ＿＿＿＿＿＿＿　＿＿＿＿＿＿＿

语言点

1 对……来说

● 对一般人来说，不断的婚丧嫁娶，加上一些家庭成员的生日和逢年过节祭祀祖先的活动，就是最普通的日常生活内容。

　　这一结构表示从某人、某事的角度来看。常用在句子开头，也可以用在句子中间。有时也说"对于……来说"或者"对……说来"。例如：

① 对日本人来说，写汉字并不困难。

② 北京的天气对我这个南方人来说有点儿太干燥了。

2 A＋所＋动词＋的＋B

● 今天的人们才真正体会到古人所期望的"天涯若比邻"的感觉。

　　"所"是助词，用在及物动词前面，跟"的"一起，修饰后面的词或词组，使整个结构成为一个名词性成分。A和B在意念上分别是动词的主语和宾语。在一定的语言环境中，"所……"修饰的B可以不出现。多用于书面。例如：

① 我们所了解的情况还不够详细。

② 清晨我们在森林里所录下的声音仿佛是一首雄壮的交响乐。

③ 这就是环境污染所造成的严重后果。

④ 你所说的和我所想的完全一样。

3 拿……来说

● 同样，今天中国的日常生活也已经变得越来越西化了。拿吃来说，吃饭的观念已经不同于过去。

　　这一结构引出一个例子，用来进一步说明前面所说的情况。例如：

① 这个地方的生活很不方便，拿打电话来说，常常要到15公里以外的县城里去打。

② 汉语中有一些词看似简单，含义却很复杂。拿"打"字来说，词典上列出的和它有关的短语就有200多个。

4 A 被 B 所 动词

● 越来越多的大家庭已经被小家庭所代替。

　　这是汉语被动句的一种非常书面的表达形式，"所" 后面的动词多为双音节动词，而且不能再带其他成分。如果 "所" 后的动词为单音节，整个句子有很强的古代汉语色彩。例如：

① 我们被江上动听的琴声所吸引，忘记了开船出发。

② 他的声音被人群的欢呼声所淹没。

③ 他被生活所迫，只好放弃自己多年的梦想。

5 与 / 和 A 相比，B……

● 与过去相比，今天的中国确实发生了巨大的变化。

　　这个结构表示和 A 进行比较时，B 在某些方面的特点。后面的小句中多有表示比较含义的词语。例如：

① 与弟弟相比，哥哥高多了。

② 和北方人相比，南方人更喜欢喝茶。

6 毕竟

● 生活在现代中国的人，当然要了解现代中国的事情，但同时应该了解传统的中国。因为，现代中国毕竟是从古代中国延续过来的。

　　"毕竟" 是副词，用来强调原因或特点，可以用在动词、形容词或主语前。例如：

① 毕竟我们以前打过交道，所以这次才想起来找他帮忙。

② 他们毕竟还年轻，处理问题还是不够老练。

③ 这几天虽然风很大，可毕竟是三月了，天气比前些天暖和多了。

语言点练习 ● ● ● ● ● ● ● ● ● ● ● ● ● ● ● ● ● ●

一 用所给的词语按要求完成对话或句子：　　　*Benzi*

1. A：为什么你每次生病都吃中药？

　　B：＿＿＿＿＿＿＿＿＿＿＿＿＿。（对我来说）

2. A：为什么你不让你的孩子看电视?

　　B：_____。（对……来说）

3. A：为什么很多中国老人不愿意去美国生活?

　　B：_____。（对……来说）

4. 汽车造成的污染非常严重。

　　_____。（用"A＋所＋动词＋的＋B"改写）

5. 作者不愿意用他领悟到的一切去换一个健康的身体。

　　_____。（用"A＋所＋动词＋的＋B"改写）

6. 他们承担的任务非常繁重。

　　_____。（用"A＋所＋动词＋的＋B"改写）

7. 你说的和我想的完全一样。

　　_____。（用"A＋所＋动词＋的＋B"改写）

8. 学习一门外语很不容易，_____。（拿……来说）

9. 20世纪留给我们很多让人头疼的"遗产"，_____。

　　（拿……来说）

10. 我们国家有很多方面和中国不同，_____。

　　（拿……来说）

11. 他的演讲吸引了我们。

　　_____。（用"A被B所动词"改写）

12. 好奇心驱使孩子打开了抽屉。

　　_____。（用"A被B所动词"改写）

13. 电子邮件代替了传统的通信方式。

　　_____。（用"A被B所动词"改写）

14. A：你喜欢哪种朋友? 知识丰富的还是幽默风趣的?

　　B：_____。（和……相比）

15. A：你觉得现代中国和古代中国有什么不同?

　　B：_____。（和……相比）

16. A：你喜欢住在北京还是喜欢住在上海?

　　B：_____。（和……相比）

17. 他才十三岁就上了北大，可是_____，还不太会照顾自己的生活。（毕竟）

18. 现在是三月初，天气虽然还不太暖和，可＿＿＿＿＿＿＿，＿＿＿＿＿＿＿。
（毕竟）

19. 他的汉语非常好，可＿＿＿＿＿＿＿，＿＿＿＿＿＿＿。（毕竟）

二 用本课重要的语言点造句：

对我来说

A＋所＋动词＋的＋B

拿……来说

A 被 B 所 动词

与 / 和……相比

毕竟

综合练习

一 选择合适的介词填空，然后对照课文，看填得是否正确：

关于　对　从　把　使　被　由

1. 人们获得知识和消息的途径主要不是报纸、广播、电视这些现代传媒，而是一些刻印的书本、道听途说的见闻以及（由）父老乡亲传授的经验。

2. 人们（关于）地理远近的观念和今天大不相同，（从）北京到天津就是出远门儿了。

3.（对）一般人来说，不断的婚丧嫁娶，加上一些家庭成员的生日和逢年过节祭祀祖先的活动，就是最普通的日常生活内容。

4. 自从 19 世纪近代西方文明进入中国，（使）中国经历了一次两千年来从未有过的巨变。

5. 人们从一个地方到另一个地方，要乘牛车马车，所以从广东（把）荔枝快运到长安，就成为奢侈的话题。

6. 越来越多的大家庭已经（被）小家庭所代替。

二 先读下面的这段话，特别注意段落的结构，然后根据后面的提示，完成练习：

如果可以回到百年以前的中国，你就会看到，**那个时候的中国和现在大不一样**。举几个例子，(a) 人们读的书………；(b) 人们获得知识和消息的途径……；(c) 人们的社会生活……除此之外，佛教与道教同人们的生活隔得并不远，到庙里去祈求佛菩萨保佑家人平安，也是很多人日常生活的重要内容之一。

可是，**自从 19 世纪近代西方文明进入中国，使中国经历了一次两千年来从未有过的巨变，现代的中国似乎与传统的中国有了"断裂"**。比方说，……另外，……

同样，今天中国的日常生活也已经变得越来越西化了。(a) 拿吃来说，……(b) 再拿住来说，……

总之，与过去相比，今天的中国确实发生了巨大的变化。

* 在这几段话中，黑体部分是每一段的主题，a、b、c 等是说明主题的例子，最后的"总之"是总结。请你仿照这篇课文的结构，在下面的两个题目中任选一个，写一篇 200 字左右的文章。

- 中国变了
- 世界变了

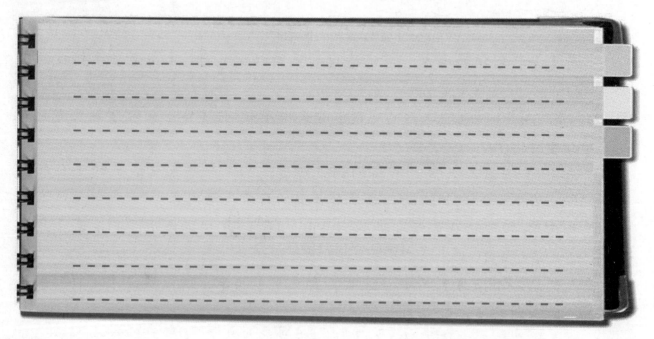

新一代书生

孩子上了小学，没读几天书，我就已经发现我们过去的书本对她无用。现在的确是一个新的时代了。

一次语文考试，女儿得了99分，她将一个填空"青青的瓦（wǎ）白白的墙"写成了"清清的瓦"。我问她这个错误是如何产生的，女儿却问我："什么是瓦？"什么是瓦？我这才猛醒，她这个7岁的小人儿的确还从来没有见到过瓦，更何况"青青的瓦"？孩子的老师一定与我一样，以为瓦这个东西是不用讲解的，根本就没有意识到现在城市的孩子对瓦完全没有认识。现在我们居住的城市里到处高楼林立，高楼的楼顶上是顶楼平台，平台同时又是隔热板；隔热板是水泥做的，水泥是灰白色的。青青的瓦已经变得像田园诗一样遥远了。除非把孩子们带到很远很远的乡村去，否则他们根本不能理解这样的歌谣。

对于语文课本里的《孔融（Kǒng Róng）让梨》这一课，孩子们一出课堂就把老师所讲的深远意义放在了一边。他们有自己的理解。他们说我们不用向孔融学习，我们与孔融的想法一样。倒是我们的家长应该向孔融的家长学习。我们都愿意吃小的水果或者不吃水果把它让给家长或别人吃，但是家长很烦人，总是强迫我们吃。

我们从前学习的《司马光（Sīmǎ Guāng）砸缸》在现在的

青：蓝灰色。

清：clear

孔融：汉末文学家，相传4岁的时候，就主动把大的梨让给哥哥吃。

司马光：司马光是北宋文学家、史学家。相传小时候在院子里玩耍时，有一个小朋友不小心掉进了装满水的大缸里，司马光用石头把缸打破，救出了落水的孩子。

孩子面前也出现了问题。首先缸是什么?做什么用的?家里怎么会有那么大的缸?现在砸缸的话,家里怎么会寻找得到那么大的石头?于是我们只好耐心地告诉孩子,这个古人的故事只是为了让孩子们懂得一个道理,就是遇事要多动脑筋想办法。孩子们听到这里,突然又会冒出另外的一个问题,他们说:"既然是这个意思,那么在另外一课里,那个古人老太婆怎么又不动脑筋,非要把一根铁棒磨成针(tiěbàng móchéng zhēn)呢?那多浪费时间,应该动脑筋搞科学研究,用机器把铁棒制造成针。"

　　我们不能说六七岁的学童的思想完全没有道理。他们喜欢吃麦当劳,认为麦当劳叔叔把他的快餐店设计得很有趣。他们一下子就能接受电脑,觉得小小一部机器装下大大的一个世界是一件很好很方便的事情。他们学好课文多半是为学习成绩的优秀。我女儿三四岁的时候,我经常给她朗读安徒生(Āntúshēng)童话和唐诗宋词。那时候,她听得十分入神。现在就不行了,上学了,认识很多字了,自己会看书看电视了。再看安徒生的童话,她就有了自己的见解,说:故事很美,但是一听就知道是作家编的。对于唐诗宋词,她的说法就更刻薄(kèbó)了,她说:有一些像顺口溜(shùnkǒuliū),比如"锄禾日当午,汗滴禾下土,谁知盘中餐,粒粒皆辛苦",她认为制作一部农民种田的电视专题片给孩子们看效果会更好。

　　现在我的女儿老是抱怨没有他们喜欢的书。的确如此,现在的孩子不是我们那个时代的孩子了。对前人的书,他们有自己的读法,这就是我们必须面对的现实。

(作者:池莉,有删改)

铁棒磨成针:相传唐朝诗人李白小时候不喜欢读书,有一天,他逃学出来看到一个老婆婆在用铁棒磨针,感到很好奇,老人家告诉他,只要功夫深,铁棒可以磨成针,使李白明白了努力学习的道理。

安徒生:Andersen(1805-1875),丹麦童话作家。

刻薄:对待别人冷淡,要求高而厉害。

顺口溜:民间的一种口头韵文。doggerel

副课文练习

一 参考文章中的注释，讲讲下面三个中国传统故事：

　　1. 孔融让梨　　2. 司马光砸缸　　3. 铁棒磨成针

二 根据文章，回答问题：

　　1. 作者的女儿是在什么样的环境里成长的？
　　2. 作者用了几件事情来说明孩子的看法和传统教育之间有冲突？
　　3. 你认为写这篇文章的目的是什么？

三 根据文章，完成下面的段落：

　　孩子上了小学，作者就已经发现_____。

　　1）一次语文考试，女儿把"青青的瓦"写成了"清清的瓦"。这是因为_____

_____。

　　2）传统的《孔融让梨》，本来有教育孩子们学会分享的深远意义，但是现在孩子们的看法是_____

_____。

　　3）传统的《司马光砸缸》为了让孩子们懂得一个道理，就是_____

_____，在现在的孩子面前也出现了问题：_____

_____。

　　4）至于《铁棒磨成针》的故事，本来是教育孩子_____，可是现在的孩子的看法是_____。

　　总之，现在的孩子，对前人的书，他们有自己的读法，这就是必须面对的现实。

四 讨论下面的问题：

　　1. 你觉得传统中国和现代中国之间有哪些差异？
　　2. 你们国家传统和现代之间有哪些差异？

说说迷信

这一课谈的是有关迷信的话题，请你预习课文，并做下面的练习。

1. 从课文的生词表里找出所要求的词语，并回忆一下以前学过的类似的词语：

	本课	以前学过的相关词语
和宗教有关系的词语		
和迷信有关系的词语		

2. 课文中提到了哪些迷信？这些迷信形成的原因是什么？

	例如／比方说	原因
体育界的迷信	（1） （2）	
戏剧界的迷信	（1） （2）	
有关数字的迷信	（1） （2） （3） （4）	
日常生活中的迷信	（1） （2） ……	

说说迷信

你隔多久就要算一次命，求一次签？如果瞎子的拐杖敲在你的小腿上，如果你的右眼皮到不停地跳，如果乌鸦对着你叫了一声"哇"，你是不是就认为撞到了晦气？别担心，像你这样的人，古今中外多得很。

有一位人类学家认为，任何一种文化中都少不了迷信。可是到底有多少种迷信呢？德国有一部迷信大全，达十多册。中国古代也有几百页厚的历书，不相信吉凶之说的人认为里面所讲的全是迷信。

体育界讲不出道理的迷信极多。例如，赛马骑师认为，在出发前马鞭失手落地是凶兆。西方的运动员在比赛前普遍吐一口唾液，来讨吉祥。

戏剧界的迷信也很多。比方说，很多演员相信，在化妆室里吹口哨是不吉利的。另外，每次演关公戏，扮演关公角色的演员一定要在后台烧香，否则就会出乱子。据说有一次没有照做，关公就在戏台上显灵，结果戏台上莫名其妙地失火，很多道具被烧毁。有了这次教训，很多剧团宁可在演出前恭恭敬敬地给关公上香。

有关数字的迷信，普天下都有。西方最富迷信色彩的数字是13。现在很多旅馆和办公大厦没有第13层楼，有些航空公司没有第13号班机，甚至没有第13排座位。12号之后，是12号半，下面就是14号。13之所以不详，据说和基督教有一定的关系。在最后的晚餐上，犹大因为出卖耶稣而迟到，成为餐桌上的第13个人。

如果13号偏偏又碰上星期五，那就更加不祥了。星期五之所以成为凶日，也跟基督教的《圣经》记载有关。据说夏娃偷吃苹果是在星期五，她和亚当被上帝赶出伊甸园同样是在星期五，不但如此，耶稣被钉在十字架上也是在星期五。不过，自从1937年以来，90次主要的空难之中，只有14次发生在星期五，而且没有一次是在13号。

在中国，4因为和"死"谐音，也成为人们所忌讳的数字，尤其是在医院，很多人不愿意住在4

号病房或者是14号病房里。相反，8和9在中国则是大吉大利的数字。8在广东话里和"发"同音，因此有了发财的意思，而9则因为和"久"同音，也戴上了"天长地久"的光环。但是在很多不信这一套的人看来，这都是迷信。

许多西方人不肯从梯子下面走过，理由也很充分，也许梯子上正站着一位油漆工，当你走过时，说不定一罐油漆会正好倒在你头上，再说，油漆工的刷子上也会滴下油漆来。不过这件事情之所以不吉利，据说是因为梯子靠着墙，形成三角。早期基督徒把三角看成是永恒的象征，因此从三角下面走过，就成了侵犯圣境，难免会自讨苦吃。

古代的中国人认为，在晾着的女人的衣服下面走过，一定会倒霉，如果是儿童，就长不高，所以假若妇女把衣服晾在行人经过的地方，就意味着她没有家教。

有人相信，左眼皮跳有财，右眼皮跳有灾；有人相信，打喷嚏是有人在背后提到他，说他的坏话，而耳朵发热，则是有人在惦记自己；如果你晚上梦见蛇、梦见水，那是发财的预兆，而如果你居然梦见掉了一颗牙齿，那就糟了，因为很可能你的一位亲人要去世！

总之，我们差不多天天都会有迷信的思想和行动。"筷"子"落"地——总有"快乐"吧？乌鸦叫了一声"哇"，别有什么倒霉的事儿吧？正如一位社会学家所说，迷信很难破除，未来的事难以预料，有时候迷信可以给人们一点儿安慰，迷信的作用也就在这里，不可太当真。

（作者：黄晓天，有删改）

| 1 | 迷信 | míxìn | 【动】 | 相信神仙鬼怪等不存在的事物 to have the superstition, to worship blindly to make a fetish of |

◎ 世界上很多民族都有一些说不出道理的迷信。

◎ 他这个人特别迷信，听到乌鸦叫，就觉得要有麻烦。

◎ 你不要太迷信高科技。

| 2 | 求签 | qiú qiān | | 在神佛面前抽签来占卜吉凶 to draw lots before idols, to pray and draw divination sticks at temple |

◎ 他常常到庙里去求签。

| 3 | 瞎子 | xiāzi | 【名】 | 对盲人不礼貌的称呼 a blind person |
| 4 | 乌鸦 | wūyā | 【名】 | 一种鸟，嘴大而直，全身羽毛黑色 crow |

◎ 在中国，人们把乌鸦看成是不吉利的象征。

◎ 什么？你说我们队要输？你真是乌鸦嘴！

| 5 | 撞 | zhuàng | 【动】 | 碰 to run into, to bump into |

◎ 昨天我一出校门就撞上了小王。

◎ 屋子里太黑，他不小心撞到了椅子上。

| 6 | 晦气 | huìqì | 【形】 | 坏运气，倒霉 unlucky |

◎ 真晦气！一出远门就下雨。

| | | | 【名】 | 人运气不好或生病时难看的脸色 |

满脸晦气

| 7 | 人类学 | rénlèixué | 【名】 | 研究人类历史、现状、发展及人种分类等的科学 anthropology |
| 8 | 吉凶 | jí xiōng | | 指未来的好运气和坏运气 good or ill luck |

◎ 老板这次找我谈，不知道是吉是凶。

| 9 | 赛马 | sàimǎ | 【名】 | 一种比赛骑马速度的运动项目 horse racing |

◎ 他很喜欢看赛马。

| 10 | 马鞭 | mǎbiān | 【名】 | 赶马用的东西，多用皮条编成 horsewhip |

快马加鞭

| 11 | 失手 | shī shǒu | | 指手不小心，造成不好的后果 to drop accidentally |

◎ 昨天我失手打碎了一个茶杯。

| 12 | 凶兆 | xiōngzhào | 【名】 | 不好的预兆 bad omen |

◎ 他们把乌鸦叫看作是一种凶兆。

| 13 | 唾液 | tuòyè | 【名】 | 口水，书面语 saliva |
| 14 | 讨 | tǎo | 【动】 | 向别人要某种东西 to ask for |

讨债　讨吉利

| 15 | 吉祥 | jíxiáng | 【形】 | 吉利，幸运 lucky, propitious, auspicious |

◎ 祝你们新的一年吉祥如意！

| 16 | 戏剧界 | xìjùjiè | 【名】 | 戏剧领域 playdom |

音乐界　体育界　经济界

17 化妆　　huà zhuāng　　用化妆品修饰容貌 to make up

◎ 出去吃饭以前，我得先化一下妆。

18 吹口哨　　chuī kǒushào　　to whistle

◎ 你怎么上课的时候吹起口哨来了？

19 扮演　　bànyǎn　【动】　演员装扮成戏中某一角色演出 to act, to play a role, to play the part of

◎ 她在这部新戏里扮演一个 16 岁的小姑娘。

◎ 剧中的女主角由王莉扮演。

◎ 这家企业在整个计算机行业扮演非常重要的角色。

20 烧香　　shāo xiāng　　拜神佛时点着香插在香炉中 to burn joss sticks (before an idol)

◎ 你呀，平时不努力，到考试前才开夜车，真实平时不烧香，急来抱佛脚。

21 出乱子　　chū luànzi　　引起麻烦 to go wrong, to make trouble

◎ 你们这样搞下去，非出乱子不可！

22 显灵　　xiǎn líng　　神的短暂显现 (of a ghost or spirit) make its presence or power felt

◎ 你相信神显灵的说法吗？

23 *宁可　　nìngkě　【副】　表示在权衡两方面的利害得失后，选择其中的一面 would rather, better

◎ 我宁可住得远一些，也不想住在这么吵的地方。

24 恭敬　　gōngjìng　【形】　对人非常尊重 revere, regard with deep respect

◎ 孩子恭恭敬敬地给爷爷鞠了个躬。

25 普天下　　pǔ tiānxià　　整个世界 universally

◎ 普天下的父母都一样疼爱孩子，所以中国有句话叫"可怜天下父母心"。

26 大厦　　dàshà　【名】　高大的楼房 mansion, large building

◎ 我的办公室在京华大厦 6 层。

27 不祥　　bùxiáng　【形】　不吉利 hoodoo

◎ 听了他的话，我突然有一种不祥的预感。

28 出卖　　chūmài　【动】　为了自己的利益，背叛自己的亲人或朋友等 to betray

29 *偏偏　　piānpiān　【副】　正好出现非常不希望出现的情况 unluckily

◎ 我急着去他家找他，偏偏他刚出去。

| 30 | 碰 | pèng | 【动】 | 偶然相遇 to run into |

◎ 昨天我在街上碰上小王了。

| | | | | 运动的物体和别的物体突然接触 to bump |

◎ 小心门框，别碰了头！

| 31 | 钉 | dìng | 【动】 | to nail, to stick |

◎ 他把画儿钉在了墙上。

| 32 | 十字架 | shízìjià | 【名】 | 十字形的木架，是罗马帝国时期的一种刑具 cross |
| 33 | 空难 | kōngnàn | 【名】 | 指飞机等在飞行中发生故障、遭遇自然灾害或其他意外事故所造成的灾难 air disaster |

◎ 昨天又发生了一起空难。

| 34 | 谐音 | xiéyīn | 【动】 | 字或词发音相同或相近而写法不同 to be homonymic |

◎ 在汉语里，4和"死"谐音，所以很多人不喜欢这个普通的数字。

| 35 | 忌讳 | jìhuì | 【动】 | 因风俗习惯等原因而避免使用某些不吉利的语言或举动 to taboo |

◎ 过春节时，人们忌讳说"死"等不吉利的字。

◎ 他个子很矮，你刚才讲的那个笑话犯了他的忌讳。

| 36 | 大吉大利 | dà jí dà lì | | 万事都顺利，常用作吉祥的话 unusually lucky |

◎ 祝你来年大吉大利！

| 37 | 天长地久 | tiān cháng dì jiǔ | | 情感、友谊等与天地共存 as long as the world last |

◎ 祝我们的友谊天长地久！

| 38 | 光环 | guānghuán | 【名】 | 环状的发光，比喻某种荣耀 halo |

戴上…的光环

| 39 | 套 | tào | 【量】 | 用于已成固定格式的办法、习惯或语言 a set of |

一套客气话　一套大道理

一套好办法

| 40 | 梯子 | tīzi | 【名】 | ladder |

◎ 他爬着梯子上了房顶。

| 41 | 油漆 | yóuqī | 【名】 | paint |

◎ 他买了一罐油漆要油一下儿书架。

| 42 | 罐 | guàn | 【名】 | jar, pot, tin |
| 43 | 滴 | dī | 【动】 | 液体一点一点落下来 to drip |

◎ 血从她的手指上滴下来。

44 基督徒   jīdūtú   【名】   信仰基督教的人 Christian

◎ 他的父亲是一个基督徒，而他则信仰佛教。

45 象征   xiàngzhēng   【动】   用一个具体事物表现某种抽象事物或特殊定义
to symbolize

◎ 长城象征着中国。

                              【名】   用来表现某种抽象的物或特殊定义的具体事物 symbol

◎ 长城是中国的象征。

46 侵犯   qīnfàn   【动】   进犯别的国家或冒犯别人的权利 to intrude into, to invade, to offence *or offend*

                                                         cause

侵犯人权   侵犯知识产权

侵犯隐私权

◎ 这个国家常常侵犯邻国。

◎ 你们这样做，侵犯了别国的领土 / 领空 / 领海 / 主权。

47 *难免   nánmiǎn   【形】   不容易避免 hard to avoid, be pretty sure to

◎ 他年纪还小，难免有点儿幼稚。

48 自讨苦吃   zì tǎo kǔ chī   自己找麻烦 to ask for trouble

◎ 她这个人别人的意见根本听不进去，你去劝她，真是自讨苦吃！

49 晾   liàng   【动】   把东西放在空气中或太阳下使干燥 to dry in the sun, to dry by airing, to dry in the shade

◎ 你去把这几件把衣服晾起来。

50 倒霉   dǎoméi   【形】   运气不好 have bad luck

◎ 真倒霉！排了半天队，票又卖完了。

51 家教   jiājiào   【名】   家长对子女的教育 family education, family training

◎ 他们家家教很严。

◎ 这个人真没有家教。

52 灾   zāi   【名】   由自然或人的行为引起的非常大的危害 disaster

水灾   火灾

53 惦记   diànjì   【动】   经常记在心里，总是想着 to keep thinking about, to think of

◎ 妈妈老惦记着在国外留学的孩子。

54	预兆	yùzhào	【名】	事情发生前所显示出来的迹象 presage, omen

◎ 蚂蚁搬家是下雨的预兆。

55	破除	pòchú	【动】	除去 to do away with

◎ 你应该破除这种迷信思想。

56	当真	dàngzhēn	【动】	以为是真的 to take seriously, to accept as true

◎ 我只是开个玩笑，你不要当真啊！

◉ 专名

1. 关公	Guāngōng	关羽，中国古代一位讲义气的英雄，后被神话。
2. 犹大	Yóudà	（Judas）耶稣的门徒之一，曾为三十块银币而出卖耶稣。
3. 耶稣	Yēsū	（Jesus）基督教所信奉的救世主。
4. 夏娃	Xiàwá	（Eve）基督教《圣经》中人类的女始祖，亚当的妻子。
5. 亚当	Yàdāng	（Adam）基督教《圣经》中人类的始祖。
6. 伊甸园	Yīdiànyuán	（Garden of Eden）基督教《圣经》中人类祖先居住的乐园。
7. 基督教	Jīdūjiào	（Christianity, the Christian faith）世界上主要的宗教之一
8. 圣经	Shèngjīng	the Bible 基督教的经典

词语辨析

1. 恭敬　尊敬

两个词语都有"敬"的含义，但是"恭敬"是形容词，而"尊敬"是动词，如："态度很恭敬、恭恭敬敬地站着；尊敬老人、尊敬师长"等。

2. 侵犯　侵略

　　两个词都是动词，都有非法用武力进入别国领土的意思，但是"侵犯"是一次性的，如："侵犯别国领空、侵犯领海"。但是"侵略"是"大规模、有计划地进攻别国"，如："30 年前，这个国家曾经侵略过邻国北方。"另外，"侵犯"还有冒犯别人权利的意思，如："侵犯人权、侵犯知识产权"。"侵略"没有这个用法。

3. 倒霉　晦气

　　两个词都可以作形容词，都有不顺利，运气不好的意思，但是"倒霉"是一般性的表达，如："真倒霉，排了半天队，没有买上票。"而"晦气"的语气非常强，不但有"不顺利"的意思，还有"不吉利"的成分，如："真晦气，一出门就听见乌鸦叫。""我觉得乌鸦被人看成是一种晦气，太无辜了。"另外"晦气"还有名词用法，意思是指人运气不好或生病时难看的脸色，如："满脸晦气"。

词语练习

 根据拼音写出汉字，然后把它们填在合适的句子里：

míxìn　zhuàng　huìqì　shī shǒu　sàimǎ

1. 在社会学家看来，（　）有时候可以给人一种安慰。
2. 在香港，（　）是一项很流行的活动。
3. 听说东京有很多乌鸦，日本人不觉得这很（　）吗？
4. 全世界的人都在电视上看到了飞机（　）向大楼的情景。
5. 对不起，那个漂亮的花瓶被我（　）打碎了。

tǎo　jíxiáng　xiōngzhào　huà zhuāng　bànyǎn

6. 外婆说，打碎镜子是一种（　）。
7. 在中国人看来，红色意味着（　）。
8. 这只小猫真（　）人喜欢。
9. 姐姐正在楼上（　）呢，你等一下儿。

10. 在今天的世界舞台上，美国（ 5 ）着非常重要的角色。

shāo xiāng　chūluànzi　gōngjìng　pǔ tiānxià　Jīdūjiào
1　　　　　2　　　　　3　　　　　4　　　　　5

11. 明天就要考试，你今天才准备，真是平时不（ 1 ），急时抱佛脚。

12. （ 4 ）的父母哪有不疼爱孩子的？

13. 你可别大意，否则一定会（ 2 ）的。

14. 听说他信（ 5 ），所以每个星期天都去教堂做礼拜。

15. 祭祀祖先时，态度一定要（ 3 ）。

pèng　xiéyīn　jìhuì　dà jí dà lì　xiàngzhēn
1　　　2　　　　3　　　　4　　　　　5

16. 今天我在校门口（ 1 ）上了赵老师。

17. 他叫窦机，因为这个名字和"斗鸡"（ 2 ）而常常闹笑话。

18. 大年初一人们常常喜欢说一些（ 4 ）的话。

19. 在乡下，人们（ 3 ）说"死""去世"之类的话，如果一个老人去世，人们常说他"老了"。

20. 在我看来，长城是中国的（ 5 ）。

qīnfàn　zì tǎo kǔ chī　dǎoméi　diànjì　pòchú
1　　　　2　　　　　　　3　　　　4　　　　5

21. 真（ 3 ），一大早起来就发现汽车被偷了。

22. 不是你自己的事情你为什么要去管？真是（ 2 ）！

23. 最近邻国的飞机又来（ 1 ）我国的领空了。

24. 你在国外留学的时候，妈妈天天（ 4 ）你。

25. 依我看，迷信这种东西很难（ 5 ）。

二　把下面的词语填到最合适的句子中：

恭敬　尊敬　侵犯　侵略　倒霉　晦气
1　　2　　3　　4　　5　　6

1. 对老人说话，言语要温和，态度要（ 2 ）。

2. 中国传统文化特别讲究（ 1 ）师长。

3. 由于传媒的介入，这个大规模（ 4 ）别国的计划落空了。

4. 看别人的信件是（ 3 ）别人隐私权的行为。

5. 从图书馆出来，一只乌鸦居然落在我的自行车上，真（ 5 ）！

6. 太（ 6 ）了，昨天我没复习这个词，今天的听写偏偏就有。

三 在下面的句子中填上合适的动词，然后用这个动词造句：

1. 他开车时不小心（撞碰）到了电线杆上。（单音节动词）

2. 我在门口（撞碰）上了一个老同学。（单音节动词）

3. 在国外工作时，他常常（惦记）家里。（双音节动词）

4. 他很（忌讳）别人提起他过去的事情。（双音节动词）

5. 这个国家常常批评别国政府（侵犯）人权。（双音节动词）

6. 他这个人命不好，（倒）了一辈子（霉）。（双音节离合动词）

四 你根据下面的句子写出一个四字词语，然后用这个词语造一个句子：

1. 非常吉祥。（大吉大利）

2. 很久不变，永恒的。（　　　）tiān cháng dì jiǔ

3. 自己找麻烦。（　　　）zì zhǎo kǔ chī

五 查字典，看看下面词语和其中的黑体字是什么意思，然后再写出两个由这个黑体字组成的词语：

预**兆**　预**防**　＿＿＿＿＿＿＿＿＿＿＿＿　＿＿＿＿＿＿＿＿＿＿＿＿

吉祥　**吉**凶　＿＿＿＿＿＿＿＿＿＿＿＿　＿＿＿＿＿＿＿＿＿＿＿＿

预**兆**　**兆**头　＿＿＿＿＿＿＿＿＿＿＿＿　＿＿＿＿＿＿＿＿＿＿＿＿

侵犯　**侵**略　＿＿＿＿＿＿＿＿＿＿＿＿　＿＿＿＿＿＿＿＿＿＿＿＿

戏剧**界**　体育**界**　＿＿＿＿＿＿＿＿＿＿＿＿　＿＿＿＿＿＿＿＿＿＿＿＿

语言点

1 另外

● 比方说，很多演员相信，在化妆室里吹口哨是不吉利的。另外，每次演关公戏，扮演关公角色的演员一定要在后台烧香，否则就会出乱子。

这里的"另外"是连词，用来连接相互有关系的句子或段落，有补充或转换到另一个相关话题的作用。例如：

① 今天的作业就是这些。另外，请大家不要忘记明天有听写。

② 我之所以吃素，是因为吃素有利于身体健康。另外，就环保而言，吃素也是很有意义的举动。

③ 吃肉给身体带来很多隐患。因为肉食者的血液是酸性的……。不但如此，肉食吃多了，血管会失去弹性……。另外，动物在被宰杀时，体内会分泌很多毒素……。

2 宁可

● 有了这次教训，很多剧团宁可在演出前恭恭敬敬地给关公上香。

"宁可"是副词，表示比较两种不太理想的情况后，选择其中的一面，常用以下三种句型：

与其……宁可……

宁可……也不……

宁可……也要……

例如：

① 与其得肺病，我宁可戒烟。

② 我宁可没有朋友，也不和这种人打交道。

③ 我宁可一晚上不睡觉，也要把这篇文章写完。

3 偏偏

● 如果13号偏偏又碰上星期五，那就更加不祥了。

"偏偏"是副词，表示正好出现一种非常不希望出现的情况。"偏偏"可以用在主语前。例如：

① 我请他吃四川菜，没想到偏偏他不能吃辣的。

② 这么倒霉的事情偏偏让我碰上了。

③ 我正要开始写作业，偏偏停电了。

4 再说

● 许多西方人不肯从梯子下面走过，理由也很充分，也许梯子上正站着一位油漆工，当你走过时，说不定一罐油漆会正好倒在你头上，再说，油漆工的刷子上也会滴下油漆来。

这里的"再说"是连词，连接前一分句，补充说明另一个理由或原因。例如：

① 时间不早了，再说你身体也不舒服，早点儿休息吧。

② 去年夏天不太热，再说我的房间在阴面，所以我没有买空调。

5　难免

● 因此从三角下面走过，就成了侵犯圣境，难免会自讨苦吃。

"难免"是形容词，表示因为前面所说的原因，后面的消极的结果是不容易避免的。例如：

① 他刚来中国，难免不了解这里的情况。

② 他没有工作经验，难免犯错误。

语言点练习 ·· 📧

一　用所给的词语完成对话或句子：

1. A：西方人为什么认为 13 不吉利？

　 B：＿＿＿＿＿＿＿＿＿＿＿＿＿＿＿。（另外）

2. A：你觉得中国人有什么特点？

　 B：＿＿＿＿＿＿＿＿＿＿＿＿＿＿＿。（另外）

3. A：20 世纪给我们留下了哪些遗产？

　 B：＿＿＿＿＿＿＿＿＿＿＿＿＿＿＿。（另外）

4. 与其住在这么吵的地方，＿＿＿＿＿＿＿＿＿＿＿＿＿＿。（宁可）

5. 与其在这里堵车，＿＿＿＿＿＿＿＿＿＿＿＿＿＿。（宁可）

6. ＿＿＿＿＿＿＿＿＿＿＿＿＿＿，也要完成那篇文章。（宁可）

7. ＿＿＿＿＿＿＿＿＿＿＿＿＿＿，也不和他结婚。（宁可）

8. A：你怎么这么沮丧？

　 B：＿＿＿＿＿＿＿＿＿＿＿＿＿＿＿。（偏偏）

9. A：你昨天怎么没有买到那本词典？

　 B：＿＿＿＿＿＿＿＿＿＿＿＿＿＿＿。（偏偏）

10. A：你为什么要住在郊区？

　　 B：＿＿＿＿＿＿＿＿＿＿＿＿。（再说）

11. A：你为什么要吃素？

　　 B：＿＿＿＿＿＿＿＿＿＿＿＿。（再说）

12. A：妈妈为什么一整天都闷闷不乐的？

　　 B：＿＿＿＿＿＿＿＿＿＿＿＿。（难免）

13. A：他的作文里怎么有这么多语法错误？

　　 B：＿＿＿＿＿＿＿＿＿＿＿＿。（难免）

二 用本课重要的语言点造句：

另外

与其……宁可……

宁可……也要……

宁可……也不……

偏偏

再说

难免

综合练习 ·

一 在下面的句子里填上合适的补语，然后对照课文，看填得是否正确：

1. 如果乌鸦对着你叫了一声"哇"，你是不是就认为撞（上/到）了晦气？

2. 有一位人类学家认为，任何一种文化中都少不（了）迷信。

3. 体育界讲不（出/清）道理的迷信极多。

4. 如果 13 号偏偏又碰（上/到）星期五，那就更加不祥了。

5. 她和亚当被上帝赶（出　）伊甸园正是在那一天。

6. 9 则因为和"久"同音，也戴（上　）了"天长地久"的光环。

7. 许多西方人不肯从梯子下面走（过/过去），理由也很充分。

8. 再说，油漆工的刷子上也会滴（下　）油漆（来　）。

9. 有人相信，打喷嚏是有人在背后提（起/到）他，说他的坏话。

10. 如果你晚上梦（见/到）蛇，那是发财的预兆。

 先读下面这段课文，然后根据后面的提示完成练习：

　　<u>体育界讲不出道理的迷信极多</u>。**例如**，（a）赛马骑师认为，在出发前马鞭失手落地是凶兆。（b）西方的运动员在比赛前普遍吐一口唾液，来讨吉祥。

　　<u>戏剧界的迷信也很多</u>。**比方说**，a）很多演员相信，在化妆室里吹口哨是不吉利的。b）**另外**，每次演关公戏，扮演关公角色的演员一定要在后台烧香，否则就会出乱子。**据说**有一次没有照做，关公就在戏台上显灵，结果戏台上莫名其妙地失火，很多道具被烧毁。有了这次教训，很多剧团宁可在演出前恭恭敬敬地给关公上香。

　　* 在这两段课文中，画线的第一句话是主题，a、b 是说明主题的例子，黑体字是连接词。请你仿照这两段课文的结构，用下面的一句话作主题，写一段 150 字左右的短文。

　　● 日常生活中的迷信很多

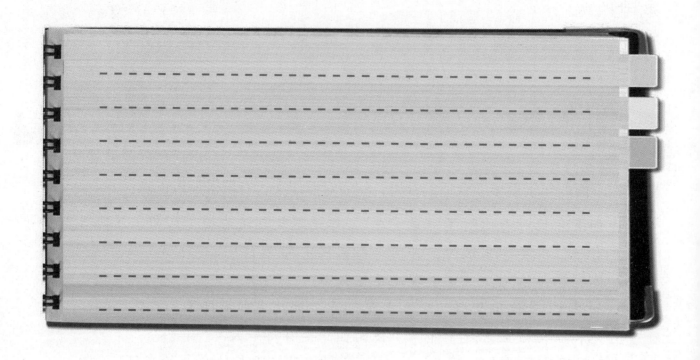

12是个什么样的数字

数字12是13的"弟弟"。"哥哥"13的名声有点儿不好，被西方人看作一个不吉利的数字，连出远门、会客、门牌号码等等都尽可能避开13这个数字。12的命运比13要好得多，人类自有能力数数以来，就一直相信某些数字拥有控制人或者命运的神力，12就是其中一个既重要又神秘（shénmì）的数字。

不知你发现没有，在人们的日常生活中，12这个数字随处可见。钟表上有12个小时，一年有12个月。除此之外，中国人还有12生肖（shēngxiào），鼠、牛、虎、兔、龙、蛇、马、羊、猴、鸡、狗、猪，12年正好一个轮回（lúnhuí）。

在希腊（Xīlà）神话中，幸运之神绕太阳一周需要12年，于是有人就把12看成是幸运的数字，因为他们相信，每隔12年，幸运之神就会给他们带来好运气。

希腊历史学家研究发现，古希腊人在小亚细亚（xiǎo Yàxìyà）建造了12座城池之后，就再也不肯建了，因为他们认为，12这个数字是神圣的，不可超越的。

同样，在《圣经》中，12这个数字也频繁（pínfán）出现：耶稣有12个弟子，他用12个面包救助了很多饥饿的人，神圣的耶路撒冷（Yēlùsālěng）有12扇大门，它们建在12块基石上，上面刻有12个信徒的12个名字，在耶路撒冷，每次朝拜耶稣的人数只容许 12 × 12 = 144 人。

12这个数字受到如此青睐（qīnglài），被看作是吉利

神秘：难以了解其中的秘密。

生肖：中国用来记人出生年的十二种动物。

轮回：经过一个周期后重新来一次。

希腊：Greece

小亚细亚：Asia Minor

频繁：经常。

耶路撒冷：Jerusalem

青睐：特别喜爱。

中级冲刺篇 I

的数字，难道只是因为人们的迷信心理？还是其中有更深的奥秘？到今天，人们也无法确切回答这个问题。

　　1953年，曾经有位科学家提出一个听起来有点儿奇怪的理论，他认为数字12与地球之间存在一种奇妙的关系，人类可以利用这个关系来调整宇宙中各个星球的位置、距离，从而使它们的布局更为合理。这种观点听起来似乎有点儿荒诞（huāngdàn），但却很浪漫，而且说不定经过多少年后还可能变为现实。

（作者：乾元，有删改）

荒诞：非常奇怪，非常可笑。

副课文练习

一　阅读课文，完成下面段落：

　　13 的名声有点儿不好，被西方人看作＿＿＿＿＿＿＿＿＿＿＿＿，连＿＿＿＿＿＿＿、＿＿＿＿＿＿＿、＿＿＿＿＿＿＿等等都尽可能避开。

　　12 的命运比 13 要好得多。不知你发现没有，在人们的日常生活中，12 这个数字随处可见。比方说，＿＿＿＿＿＿＿＿＿＿＿，＿＿＿＿＿＿＿＿＿＿。除此之外，中国人＿＿＿＿＿＿＿＿＿＿＿。

　　在希腊神话中，幸运之神绕太阳一周需要12年，于是＿＿＿＿＿＿＿＿＿＿＿＿。

　　希腊历史学家研究发现，古希腊人＿＿＿＿＿＿＿＿＿＿＿＿＿。

　　同样，在《圣经》中 12 这个数字也频繁出现：耶稣有＿＿＿＿＿＿＿，他用 12 个面包＿＿＿＿＿＿＿＿＿；神圣的耶路撒冷＿＿＿＿＿＿＿＿＿，它们建在＿＿＿＿＿＿＿＿＿＿，上面刻有＿＿＿＿＿＿＿；在耶路撒冷，每次朝拜耶稣的人数＿＿＿＿＿＿＿＿＿＿。

　　12 这个数字受到如此青睐的奥秘，到今天，人们也＿＿＿＿＿＿＿＿＿＿。

二 分小组讨论下面的问题：

1. 你觉得 12 成为神秘数字的原因可能是什么？

2. 在你们国家有吉利的数字和不吉利的数字吗？

3. 你对迷信怎么看？

11 我为什么吃素

预习

这一课谈的是有关吃素的话题，本课同时要学习"反驳"这个功能项目。请你预习课文，并回答下面的问题。

1.作者吃素有哪几大理由？请你填写在下表的左栏里。

吃素的理由	论据
（1）	
（2）	
（3）	
（4）	

2.下面这些论据分别是用来支持上表哪个理由的？请你把它前面的号码填在上表的右栏里。

（1）动物在被宰杀时，由于恐怖、愤怒和悲伤，体内会分泌很多毒素。

（2）素食可以给我们提供丰富的维生素和矿物质。

（3）养活一个肉食者所需的土地生产力，能养活20个素食者。

（4）食肉动物的胃酸是人类的20倍。

（5）肉食吃多了，血液是酸性的，血管会渐渐失去弹性。

（6）孔子说"己所不欲，勿施与人"。

（7）食肉动物有捕食其他动物的利爪与尖牙，但人类没有。

（8）畜牧业的过度发展还使大片草原变成沙漠。

（9）大部分蔬果是碱性食物，肉类则是酸性食物。

（10）人体肠道的长度与食草动物相似。

（11）血管失去弹性会引起动脉硬化、高血压和心脏病。

（12）动物虽不会讲话，但同样有求生的本能。

（13）如果全人类都吃素，能源危机将是260年后的问题。

（14）选择吃素是培养慈悲心的第一步，也是营造世界和平的第一步。

（15）沙漠化造成黄沙满天的恶劣天气。

（16）世界上强国欺侮弱国和人类吃掉一条鱼是在同一原则下进行的。

我为什么吃素

我并不是一个天生的素食者，我吃素是从30岁时开始的。常常有人好奇地问我吃素的原因。我究竟为什么要选择吃素呢？

不少人认为，吃肉有利于身体健康，吃素则会营养不良。我不同意这种观点。事实上，素食者并不缺乏任何人体所必需的营养素，因为素食不但可以给我们提供丰富的维生素和矿物质，而且豆腐、花生等还是优质蛋白质的来源，所以吃素并不意味着营养不良，相反，吃肉却会给身体带来很多隐患。

众所周知，血液是身体的命脉，但血液只有在弱碱性时才能发挥正常作用。一般来说，食物可以分为酸性食物和碱性食物，给我们身体提供基本热量的主食，如米饭、面包等都是酸性食物，而大部分蔬果则是碱性食物，它们可以中和体内有害的酸性物质，使身体保持酸碱平衡，这不正是大自然美妙的安排吗？而肉类则是酸性食物，无法对人体新陈代谢所产生的酸性物质进行中和。因此，一个以肉食为主的人的血液是酸性的，这些酸性物质具有强烈的刺激性，轻则会妨害身体各器官的机能，重则甚至会引起多种疾病。不但如此，肉食吃多了，动物脂肪会使血管渐渐失去弹性，久而久之极易引起动脉硬化，从而诱发高血压和心脏病。另外，动物在被宰杀时，由于恐怖、愤怒和悲伤，体内会分泌很多毒素，这些毒素会随着所谓的美味进入肉食者体内，对身体造成危害。所以，姑且不论其他，只就人类自身健康而言，吃素也是最明智的选择。

　　有人说，肉食本来就是人类的食物，对这一观点我也不赞成。首先，食肉动物有捕食其他动物的锋利的爪牙，但人类没有。其次，食肉动物的胃酸是人类的 20 倍，如此强的酸环境才足以消化肉与骨头，但人类的胃酸却要弱得多。第三，人体肠道的长度与食肉动物大不相同，而与食草动物相似。所有这一切，不正是大自然的一种暗示吗？

　　另外，就环保而言，选择吃素也是非常有意义的举动。要知道，养活一个肉食者所需的土地生产力，能养活 20 个素食者。生产一斤牛肉所需的石油，可用来生产 40 斤大豆。如果全人类都是肉食者，世界石油储量将于 13 年内被用尽，但若都吃素，能源危机将是 260 年后的问题。除此之外，地表土的损耗是历史上许多文明消失的原因，而地表土损耗的原因中有 85% 与畜牧业有关。畜牧业的过度发展还使大片草原变成沙漠，当人们抱怨黄沙满天的恶劣天气时，却很少想到，食肉其实才是真正的祸源。

　　除了上述的原因外，我之所以下决心吃素，还由于价值观的改变。以前我把吃鱼吃肉看成是理所当然的事情，从未想过这有何不妥，但是在看了一篇《名人谈素食》的文章之后，我开始认真思考这一问题。俄国作家托尔斯泰说："只要有屠场，就会有战场！"英国华尔绪博士说："要想避免人类流血，必须从餐桌上做起。"我逐渐认识到，世界上强国欺侮弱国和人类吃掉一条鱼是在同一原则下进行的。孔子说，"己所不欲，勿施与人"，自己不愿意承受的事情不能强加在他人身上。作为人，我们都爱惜自己的生命，不愿意他人来伤害，动物虽不会讲话，但同样有求生的本能。一位素食者说："如果我们为了享受美味，为了所谓的营养，就可以随意伤害其他动物的生命，那么实际上我们已经把弱肉强食看成是理所当然的法则，在这一法则下，难以真正建立起公正和平的世界秩序。"这些话听起来似乎有些绝对，但是仔细想想却并非毫无道理。因此，我认为，选择吃素是培养慈悲心的第一步，也是营造世界和平的第一步。

　　上述这些当然不是我吃素的全部理由，但已足以支持我告别肉食。事实上，我选择吃素以后，从未感到过后悔，而是觉得生活翻开了崭新的一页。

（手写笔记：）
wéi shēng sù
维生素 Vitamin

zá shí dòng wù
杂食动物 omnivore

qiē yá
切牙 incisor tooth

dàn bái zhì
蛋白质

词语表

1	素	sù	【名】	没有鱼肉等，只有瓜果、蔬菜等的饭食 vegetarian meal
				吃素　素食　素菜
2	天生	tiānshēng	【形】	天然生成 inborn, born, inherent
				◎ 妈妈天生吃素。　◎ 他身上有一种天生的活力。
3	维生素	wéishēngsù	【名】	vitamin
				◎ 蔬菜和水果含有大量的维生素。
4	矿物质	kuàngwùzhì	【名】	mineral
				◎ 缺乏矿物质和维生素会使人生病。
5	花生	huāshēng	【名】	peanut
6	优质	yōuzhì	【形】	好质量，高质量 of high grade
				◎ 豆腐中含有大量优质蛋白质。
7	蛋白质	dànbáizhì	【名】	protein
8	来源	láiyuán	【名】	根源，起源 causation, origin, source
				◎ 父亲的工资是全家唯一的经济来源。
			【动】	产生 to originate
				◎ 艺术来源于生活。
9	*相反	xiāngfǎn	【形】	事物的两个方面相互对立 opposite, contrary
				◎ 我的观点和你的恰恰相反。
			【连】	on the contrary
10	隐患	yǐnhuàn	【名】	潜藏或不易发现的危险 hidden danger
				◎ 这种汽车存在安全隐患，应尽早消除。
11	众所周知	zhòng suǒ zhōu zhī		人人都知道 as everyone knows
				◎ 众所周知，中国是一个历史悠久的国家。
12	血液	xuèyè	【名】	blood
13	命脉	mìngmài	【名】	指生命，血脉，比喻生死相关的事物 life lines
				◎ 石油是这个地区的经济命脉。

| 14 | 碱性 | jiǎnxìng | 【名】 | alkalescence |

| 15 | 发挥 | fāhuī | 【动】 | 表现出内在的能力 to bring into play |

充分发挥　发挥潜力

◎ 比赛的时候，他太紧张，没有把平时的水平发挥出来。

16	酸性	suānxìng	【名】	acidity
17	蔬果	shūguǒ	【名】	蔬菜和水果
18	中和	zhōnghé	【动】	相对的事物互相抵消，失去各自的性质 to neutralize

酸碱中和

| 19 | 新陈代谢 | xīn chén dàixiè | | 指生命生长、发育、分解的总过程。
比喻新事物生长发展，代替旧事物。metabolism |

◎ 任何事物都有一个新陈代谢的过程。

| 20 | 强烈 | qiángliè | 【形】 | 力量很大的；强度很高的；鲜明的 strong; intense; violent |

强烈的阳光　强烈的地震

强烈的不满　强烈的要求

| 21 | 妨害 | fánghài | 【动】 | 有害于；干扰 to hurt; to disturb |

◎ 你这样做会妨害工作/学习/健康/公务。

◎ 据说，缺乏维生素 D 会妨害人体对钙的吸收。

22	器官	qìguān	【名】	organ
23	脂肪	zhīfáng	【名】	人和动植物体中的油性物质 fat
24	弹性	tánxìng	【名】	物体受外力作用发生变形、除去外力能恢复原来形状的性质 elasticity

缺乏弹性　失去弹性

| 25 | 久而久之 | jiǔ ér jiǔ zhī | | 经过了相当长的时间，然后…… in the course of time, as time passes |

◎ 我开始早起本来是为了上课，久而久之却成了一种习惯。

| 26 | 动脉硬化 | dòngmài yìnghuà | | 一种疾病，血管壁增厚，弹性减弱，血管狭窄，甚至造成堵塞 arteriosclerosis |

◎ 他得了动脉硬化。

27	诱发	yòufā	【动】	由一种（疾病、事件等）导致发生另一种（疾病或事件等）to cause to happen, to bring out, to induce
	◎ 动脉硬化往往会诱发高血压和心脏病。			
28	高血压	gāoxuèyā	【名】	一种疾病，动脉血压的异常升高 high blood pressure, hypertension
29	心脏病	xīnzàngbìng	【名】	心脏的疾病 heart disease, cardiopathy
30	宰杀	zǎishā	【动】	杀死牲畜、家禽等 to slaughter, to butcher
	◎ 动物在被宰杀时，会分泌大量的毒素。			
31	恐怖	kǒngbù	【形】	使人非常害怕 horrible, terrble
	感到很恐怖			
	恐怖电影　恐怖分子			
	恐怖主义			
32	愤怒	fènnù	【形】	非常生气（到极点）angry, wrathful, furibund, indignant
	◎ 他不屑的口气，让我感到非常愤怒。			
33	分泌	fēnmì	【动】	由生物体内产生某种物质的过程 to secrete
	◎ 人在愤怒时，体内会分泌有害物质。			
34	危害	wēihài	【动】	伤害或损害 to harm, to endanger
	危害身体　危害健康			
	◎ 电视对视力的危害很大。			
35	*姑且	gūqiě	【连】	先，暂时，书面语 tentatively
	◎ 在新电脑买来之前，你姑且用这台旧的吧。			
36	明智	míngzhì	【形】	聪明，能作正确选择 sagacious, sensible, wise
	◎ 在我看来，吃素是一个明智的决定 / 举动 / 选择。			
37	锋利	fēnglì	【形】	快而尖 sharp, keen
	锋利的刀子　锋利的爪牙			
38	爪牙	zhǎoyá	【名】	动物的尖爪和利牙；帮凶 claws and teeth; accomplice, tool
	◎ 这个恐怖组织的首领有很多爪牙。			
39	肠道	chángdào	【名】	人和动物消化器官之一 intestines

40	暗示	ànshì	【动】	不明说，而用含蓄的话或动作使人明白 to drop a hint, to hint

◎ 他用眼睛暗示我，叫我别往下说了。

◎ 他已经给了你很多暗示，你还不明白吗？

41	有意义	yǒu yìyì		有价值的，重要的 significant

◎ 我认为去农村实习对大学生来说很有意义。

42	举动	jǔdòng	【名】	举止行动 act, movement

◎ 他的举动让人感到莫名其妙。

43	养活	yǎnghuó	【动】	提供生活的基础 to provide for, to support, to feed

靠……养活

44	储量	chǔliàng	【名】	储备的、储藏的数量 reserves

◎ 中东的石油储量非常丰富。

45	危机	wēijī	【名】	指严重困难的时期 crisis

◎ 那个国家发生了／存在着严重的经济／政治／能源危机。

46	损耗	sǔnhào	【动】	消耗，损失 to waste, to wear down

损耗能源

47	畜牧业	xùmùyè	【名】	放养家畜的产业 stock raising

◎ 这个地区不适合发展畜牧业。

48	抱怨	bàoyuàn	【动】	心中不满意，责怪别人 to complain, to grumble

◎ 学生常常抱怨作业太多。

◎ 你不要总是抱怨别人，要多反省反省自己。

49	恶劣	èliè	【形】	很坏 bad, abominable

恶劣的环境　恶劣的条件

恶劣的行为　恶劣的情绪

50	祸源	huòyuán	【名】	引起麻烦的根源（人或事物）the root of the trouble, bane

◎ 作者认为，食肉是沙漠化的祸源。

51	上述	shàngshù	【形】	上面所说的 above-mentioned

◎ 上述问题应该引起足够的重视。

52	价值观	jiàzhíguān	【名】	对事物价值的判断 values

◎ 我和他有不同的价值观。

53	理所当然	lǐ suǒ dāng rán		按道理应该如此 a matter of course

◎ 有人把弱肉强食看成是理所当然的事情。

54	不妥	bù tuǒ		不正确，不合适 incorrect, ill-considered

◎ 你问他收入的做法非常不妥。

55	屠场	túchǎng	【名】	宰杀动物的场所 butchery

56	欺侮	qīwǔ	【动】	力量强的一方压制力量弱的一方 to bully

◎ 以前他因为个子矮，在学校常常受大孩子的欺侮。

57	己所不欲，勿施与人	jǐ suǒ bú yù, wù shī yǔ rén		儒家重要的主张之一。自己不愿意承受的，不加在别人身上

◎ 你希望别人客气地对待你，那你为什么对人这么不客气呢？"己所不欲，勿施与人"嘛！

58	本能	běnnéng	【名】	天生的、不学就会的能力 instinct, intuition

◎ 求生是所有动物的本能。

◎ 我本能感到这样做很危险。

59	弱肉强食	ruò ròu qiáng shí		弱者的肉是强者的食物。比喻弱者被强者欺侮 law of the jungle

◎ 他愤怒地说："这真是一个弱肉强食的世界。"

60	法则	fǎzé	【名】	规律 rule

自然的法则

61	慈悲	cíbēi	【形】	给人快乐，将人从苦难中救出来，也指慈爱与同情 merciful

◎ 这个人像菩萨一样慈悲。

62	崭新	zhǎnxīn	【形】	非常新 brand-new

崭新的衣服　崭新的生活

◉ 专名

托尔斯泰	Tuō'ěrsītài	（Leo Tolstoy，1828—1910）俄国著名作家，著有《战争与和平》、《复活》等。

词语辨析

1. 妨害　危害

两个词语都是动词，都指对某事物有不利影响，但是"妨害"侧重于"干扰"，程度比"危害"轻，如："妨害工作、妨害公务"；"危害"程度较重，如："危害国家、危害社会、造成严重的危害"。

2. 举动　行动

两个词语都可以作名词，都有"做、动作"等含义，但是"举动"隐含着某一行动不寻常的含义，如："奇怪的举动、惊人的举动"；"行动"是相对于"语言"来说的，也可以作动词，如："他说得很好，但是却没有行动。""这件事情，你要快点儿行动。"

3. 法则　规则

两个词都是名词，都有"规律"的含义，但是"法则"指大自然的规律或不容更改的原则，如："自然法则、生存法则。"而"规则"则是人们约定出的一些规定，如："交通规则、游戏规则。"

 词语练习

一　根据拼音写出汉字，然后把它们填在合适的句子里：

> wéishēngsù　tiānshēng　sù　dànbáizhì　yǐnhuàn
> 　　　1　　　　　2　　　3　　4　　　5

1. 你是什么时候开始吃（ 3 ）的？
2. 这个孩子（ 2 ）爱看书。
3. 西红柿含有丰富的（ 1 ）。
4. 花生和大豆可以给我们提供大量优质的（ 4 ）。

5. 春节期间之所以限制放鞭炮，是为了消除火灾的（　　　）。

zhòng suǒ zhōu zhī　mìngmài　fāhuī　shūguǒ　qiánggliè　cìjī

6. （　　　），石油是中东地区的经济（　　　）。

7. 演讲的时候，你不要紧张，一定要把自己的实际水平（　　　）出来。

8. （　　　）中含有大量的维生素和矿物质。

9. 政府发言人对邻国政府干涉本国内政的做法表示（　　　）的不满。

10. 看恐怖电影时，他一边怕得要命，一边感到很（　　　）。

fánghài　zhīfáng　tánxìng　dòngmài　yìnghuà　yòufā　zǎishā　fēnmì

11. 经常吃肉会使血管渐渐失去（　　　），从而引起（　4　），（　8　）身体健康。

12. 豆腐是一种高蛋白、低（　2　）的健康食品。

13. 大量吸烟饮酒会（　6　）高血压和心脏病。

14. 因为发生了一种动物传染病，这个地区在几周内已经（　7　）了数万头牛。

15. 听说人在恐怖、愤怒和悲伤时，体内会（　8　）出大量毒素。

wēihài　míngzhì　fēnglì　zhǎoyá　ànshì　jǔdòng

16. 你切菜的时候要当心一点儿，因为那把刀子特别（　　　）。

17. 这个地区的武装冲突不断升级，依我看，我们换个地方去旅行是（　2　）的选择。

18. 为什么我们国家的政府一定要跟在这个超级大国的身后，当它侵犯别国的（　4　）呢？

19. 工业的过度发展已经给环境造成了很大的（　　　）。

20. 那位著名影星（　　　）将在不久退出影坛。

21. 他奇怪的（　6　）让人感到莫名其妙。

qīwǔ　chǔliàng　wēijī　bàoyuàn　xīn chén dài xiè　xùmùyè　èliè　huòyuán

22. 世界石油（　2　）最丰富的地方往往是战争最频繁的地方。

23. 1997 年，亚洲发生了严重的经济（　3　）。

24. 当人们（　4　）黄沙满天的（　7　）的天气时，却很少会想到吃肉才是真正的（　8　）。

25. 400mm 降水线是农业和（ 6 ）的分界线。

26. 这个国家的中小学中，（ 1 ）弱小同学的现象非常严重。

27. 植物在（ 5 ）时会释放大量氧气。

（二） 把下面的词语填在最合适的句子中：

举动	行动	法则	规则	妨害	危害

1. 不少专家认为，中小学生过早谈恋爱会（ 5 ）学习。

2. 很多人虽然知道抽烟的（ 6 ），但还是不能戒烟。

3. 佛教认为，"有因必有果"是一条永恒的（ 3 ）。

4. 最近排球比赛的（ 4 ）又有新调整。

5. 在机场，一位乘客反常的（ 1 ）引起了警察的注意。

6. 我们应该立刻（ 2 ）起来，保护地球。

（三） 你在下面的词语后填上合适的名词，并用这个组合造句：

恶劣的（　　）　　　　优质的（　　）　　　　强烈的（　　）

明智的（　　）　　　　锋利的（　　）　　　　慈悲的（　　）

崭新的（　　）　　　　丰富的（　　）　　　　有意义的（　　）

（四） 你在下面的动词后填上合适的名词，然后用这个搭配造一个句子：

提供（　　）　　　　发挥（　　）　　　　保持（　　）

诱发（　　）　　　　赞成（　　）　　　　欺侮（　　）

（五） 根据下面的句子写出一个成语，然后用这个词语造一个句子：

1. 自己不愿意的事情不应该强加在别人身上。（　　）

2. 弱者的肉是强者的食物。比喻弱者被强者欺侮。（　　）

3. 指生命生长、发育、分解的总过程。比喻新事物生长发展，代替旧事物。（　　）

4. 按道理一定应该如此。（　　）

5. 经过了相当长的时间，然后……（　　）

六 查字典，看看下面词语和其中的黑体字是什么意思，然后再写出个由这个黑体
字组成的词语：

吃**素**　　**素**食　　　　＿＿＿＿＿＿＿＿＿　　　＿＿＿＿＿＿＿＿＿

维生**素**　营养**素**　　＿＿＿＿＿＿＿＿＿　　　＿＿＿＿＿＿＿＿＿

优质　　**优**秀　　　　＿＿＿＿＿＿＿＿＿　　　＿＿＿＿＿＿＿＿＿

隐**患**　　心头大**患**　　＿＿＿＿＿＿＿＿＿　　　＿＿＿＿＿＿＿＿＿

危机　　**危**险　　　　＿＿＿＿＿＿＿＿＿　　　＿＿＿＿＿＿＿＿＿

祸源　　车**祸**　　　　＿＿＿＿＿＿＿＿＿　　　＿＿＿＿＿＿＿＿＿

语言点

1 相反

● 吃素并不意味着营养不良，相反，吃肉却会给身体带来很多隐患。

这里的"相反"用来连接两个句子，表示递进或转折。例如：

① 药后，他的病不但没有好，相反更重了。

② 北方人的性格很豪爽，相反，南方人的性格则比较温柔。

2 以……为主

● 因此，一个以肉食为主的人的血液是酸性的。

这一结构表示在一定范围内，某一方面占很大的比例。例如：

① 这次展出的汽车以国产车为主。

② 中国的园林以私家园林为主。

3 轻则……重则……

● 这些酸性物质具有强烈的刺激性，轻则会妨害身体各器官的机能，重则甚至

会引起多种疾病。

　　这一结构用来说明一件事情可能带来的后果，"轻则"的后面是不太严重的后果，"重则"的后面是比较严重的后果。常有"会"配合使用。例如：

① 畜牧业过度发展，轻则会破坏草场，重则会造成严重的沙漠化。

② 如果母亲在怀孕期间使用这种药物，轻则会使婴儿感到不适，重则甚至会造成婴儿先天性残疾。

4 姑且不论 A，B……

● 姑且不论其他，只就人类自身健康而言，吃素也是最明智的选择。

　　"姑且"是副词，在这里表示让步，就是先不谈比较复杂的 A，只看很明显的 B 就可以很容易得出某种结论，暗示从 A 也可以得出相同的结论。"不论"也可以换成"不管、不谈、不看、不说"等。例如：

① 姑且不论你有没有道理，动手打人就是你的不对。

② 姑且不说其他，只从健康方面考虑，戒烟也十分必要。

5 就……而言

● 姑且不论其他，只就人类自身健康而言，吃素也是最明智的选择。

　　这个结构表示从某方面来看或来考虑，可以得出某种结论。例如：

① 就孩子而言，看电视并不是最好的娱乐方式。

② 就学习外语而言，有时候课下比课上更重要。

语言点练习

一　用所给的词语按要求完成对话或句子：

1. A：上次吵架之后，他们是不是分手了？

　 B：_____。(……，相反，……)

2. A：你觉得东方文化和西方文化有什么不同？

　 B：_____。(……，相反，……)

3. A：你们班的同学中哪个国家的人最多？

　 B：我们班的同学中以韩国为主（以……为主）

4. A：你们国家的人常吃什么主食？

    B：_____。（以……为主）

5. A：如果缺太多的课会有什么后果？

    B：_____。（轻则……重则……）

6. A：吃太多的肉食对身体会有什么危害？

    B：_____。（轻则……重则……）

7. A：你为什么想去那家公司工作？

    B：_____。（姑且不论）

8. A：你为什么吃素？

    B：_____。（姑且不论）

9. A：你喜欢北京还是喜欢上海？

    B：_____。（就……而言）

10. A：你觉得中国是个什么样的国家？

    B：_____。（就……而言）

二 你用本课重要的语言点造句：

相反

以……为主

轻则……重则……

姑且

就……而言

woshihaoxueshengma?

姑且不论 就……而言

综合练习

一 选择合适的介词填空，然后对照课文，看填得是否正确：

就	于	对	把	使	被	给

jiao. Shi-xiang

1. 不少人认为，吃肉有利（于）身体健康，吃素则会营养不良。

2. 素食可以（给）我们提供丰富的维生素和矿物质。

3. 吃肉会（给）身体带来很多隐患。

4. 蔬果是碱性食物，可以（使）身体保持酸碱平衡。

5. 肉类是酸性食物，无法（对）人体新陈代谢所产生的酸性物质进行中和。

6. 肉食吃多了，动物脂肪会（使）血管渐渐失去弹性。

7. 动物在（被）宰杀时，体内会分泌很多毒素。

8. 姑且不论其他，只（就）人类自身健康而言，吃素也是最明智的选择。

9. 有人说，肉食本来就是人类的食物，（对）这一观点我不赞成。

10. 畜牧业的过度发展还（使）大片草原变成沙漠。

11. 如果我们为了享受美味，就可以随意伤害其他动物的生命，那么实际上我们已经（把）弱肉强食看成是理所当然的法则。

二　读下面的课文，注意学习课文中是怎样反驳别人的观点而支持自己的观点的，然后根据后面的提示完成练习：

1. **不少人认为**，吃肉有利于身体健康，吃素则会营养不良。**我不同意这种观点**。事实上，素食者并不缺乏任何人体所必需的营养素，**因为**素食不但可以给我们提供丰富的维生素和矿物质，而且豆腐、花生等还是优质蛋白质的来源，**所以**吃素并不意味着营养不良，相反，吃肉却会给身体带来很多隐患。

2. 众所周知，血液是身体的命脉，但血液只有在弱碱性时才能发挥正常作用。……一个以肉食为主的人的血液是酸性的，这些酸性物质具有强烈的刺激性，轻则会妨害身体各器官的机能，重则甚至会引起多种疾病。**不但如此**，肉食吃多了，动物脂肪会使血管渐渐失去弹性，久而久之极易引起动脉硬化，从而诱发高血压和心脏病。**另外**，动物在被宰杀时，由于恐怖、愤怒和悲伤，体内会分泌很多毒素，这些毒素会随着所谓的的美味进入肉食者体内，对身体造成危害。**所以**，姑且不论其他，只就人类自身健康而言，吃素也是最明智的选择。

3. **有人说**，肉食本来就是人类的食物，**对这一观点我也不赞成**。**首先**，食肉动物有捕食其他动物的锋利的爪牙，但人类没有。**其次**，食肉动物的胃酸是人类的 20 倍，如此强的酸环境才足以消化肉与骨头，但人类的胃酸却要弱得多。**第三**，人体肠道的长度与食肉动物大不相同，而与食草动物相似。所有这一切，不正是大自然的一种暗示吗？

4. 我之所以下决心吃素，还由于价值观的改变。以前我把吃鱼吃肉看成是理所当然的事情，从未想过这有何不妥，但是在看了一篇《名人谈素食》的文章之后，我开始认真思考这一问题。**俄国作家托尔斯泰说**："只要有屠场，就会有战场！"**英国华尔绪博士说**："要想避免人类流血，必须从餐桌上做起。"我逐渐认识到，世界上强国欺侮弱国和人类吃掉一条鱼是在同一原则下进行的。**孔子说**，"己所不欲，勿施与人"，自己不愿意承受的事情不能强加在他人身上。作为人，我们都爱惜自己的生命，不愿意他人来伤害，动物虽不会讲话，但同样有求生的本能。**一位素食者说**："如果我们为了享受美味，为了所谓的营养，就可以随意伤害其他动物的生命，那么实际上我们已经把弱肉强食看成是理所当然的法则，在这一法则下，难以真正建立起公正和平的世界秩序。"**这些话听起来似乎**有些绝对，**但是**仔细想想却并非毫无道理。**因此，我认为**，选择吃素是培养慈悲心的第一步，也是营造世界和平的第一步。

* 在这几段课文中，段落 1、3 是反驳别人的观点，段落 2、4 则是支持自己的观点。其中，段落 4 中大量使用了"引用他人的话作为论据"的方法。请你仔细阅读这些段落，认真体会黑体字部分所起的作用，然后仿照这些段落的结构和论述方法，在下面的两个题目中任选一个，写一篇 250 字左右的文章。

- 我为什么吃肉
- 我为什么吃素

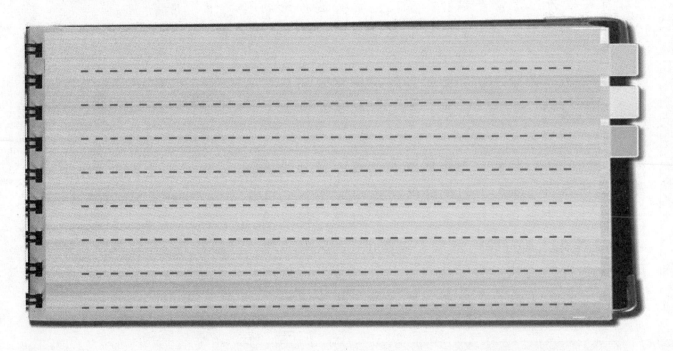

阅读 副课文

素食者起步

素食者就是不吃肉、鱼、家禽或任何屠宰场（túzǎi chǎng）的副产品的人，他们以谷物、豆类、坚果（jiānguǒ）、种子类、蔬菜和水果为日常饮食，蛋、牛奶和奶制品可以选择吃或不吃。

每一个素食者都有自己选择吃素的理由，但是一项调查发现，多数人说他们之所以放弃肉食，是因为在道德上不赞成杀害动物。随着人们愈（yù）来愈认识到健康食品的重要性，许多人也因为素食与营养学家及医生所推荐的低脂肪、高纤维（xiānwéi）的饮食相符合而成为素食者。当人们更多地意识到饲养动物作为食用肉正对环境产生影响时，关心环境也成为选择素食的一个因素。因为如果把饲养供食用的动物的土地资源改成种植庄稼（zhuāngjia），可以养活更多的人。

有人以为，素食者都营养不良，其实这种论调（lùndiào）早就过时了。素食并不是维持一种就（jiù）着一些生菜叶吃米饭的穷困的生活。素菜并不意味着把肉拿走而剩下旁边的蔬菜。吃那些现存的数百种不同的蔬菜、谷物、水果、豆类、坚果和种子类的东西，你可以毫不费力地活到一百岁。事实上，素食是一种多样化的、均衡的饮食，是一种符合营养学家所推荐（tuījiàn）的低脂肪高纤维的饮食。这就是为什么素食者很少患高血压、心脏病、糖尿病（tángniàobìng）、肥胖症、癌症（áizhèng）等疾病的原因，医学研究已经证明了这一点。所以姑且不说别的什么原因，单单为了爱护你的身体，就应该马上

屠宰场：大规模杀死动物的地方。

坚果：nut

愈：越。

纤维：fibre

勉励：鼓励。

庄稼：用来产粮食的植物。

论调：观点。

就：搭配着吃。

推荐：建议别人采用。

糖尿病：diabetes

癌症：cancer

吃素！

　　吃素并不像你想象的那么困难，素食食品在商店和餐馆到处都可以看到，而且在你自己的厨房也很容易烹制（pēngzhì）。用不了半个小时，你就能做好一个像样儿的沙锅豆腐，如果加入一些木耳（mù'ěr）和海带（hǎidài），这份菜就不但可以给你提供丰富的蛋白质，而且含有大量铁和钙（gài）。至于水果沙拉（shālā）、凉拌西红柿，那就更容易做了，众所周知，其中含有大量的维生素。另外，你还可以用核桃仁（hétaorén）、杏仁（xìngrén）和花生仁加一些面粉，做成美味的小点心。有这么多的食谱和可口的食物，放弃肉食并不是什么牺牲。加上当你知道自己吃的是一份既不杀生又不浪费世界资源的健康饮食，你将会感到非常愉悦。

　　严格的素食者理所当然地放弃所有的奶制品、蛋和任何其他的动物的副产品。但实际地讲，很少人能够一夜之间从一个肉食者变成一个严格的素食者，素食主义是一个很重要的中间站。而即使你不继续成为一名严格素食者，但通过放弃肉食，你就已经取得了效果，并且挽救了很多动物的生命。你试着开始吃素，意味着你正努力地改善你的生活方式，在素食主义的道路上，走多远取决于你自己，但无论你的步子多么小，都不是浪费。

　　开始吃素之后，千万不要把自己卷入（juǎnrù）争论，你要做的只是顺便收集一些关于健康素食的资料，以便能够平静地解释为什么你选择吃素，然后试着给朋友介绍一些你喜爱的无肉的美餐，看看是否能够通过树立好的榜样来赢得他们。

烹制：做菜。

木耳：agaric

海带：海底生长的一种带状的菜。kelp

钙：calcium

沙拉：salad

核桃仁：walnut

杏仁：almond

卷入：被迫参加。

副课文练习

一 根据文章内容，判断对错：

1. 素食者除了不吃鱼、肉之外，蛋和奶可以自由选择。（　　）
2. 吃素的人不都是因为爱护动物选择吃素的。（　　）
3. 最新发现，吃素的人或多或少都营养不良。（　　）
4. 吃素之后唯一的遗憾是饮食很单调。（　　）
5. 素食者很少患高血压和糖尿病。（　　）
6. 吃素并不像人们想象的那么困难。（　　）
7. 素食当中最缺乏的是蛋白质、铁和钙。（　　）
8. 如果你不能成为一个严格的素食者，最好不要吃素。（　　）
9. 放弃肉食，等于挽救了很多动物的生命。（　　）
10. 吃素之后，应该立刻去说服吃肉的人放弃肉食。（　　）

二 如果你得到下面的原料，你将会做哪些食品？分小组讨论一下：

豆腐　　白菜　　木耳　　海带　　水果　　西红柿　　核桃仁　　杏仁
花生仁　　面粉

三 你同意有关吃素的观点吗？说说你的看法，注意运用本课学过的支持与反驳的论述方法。

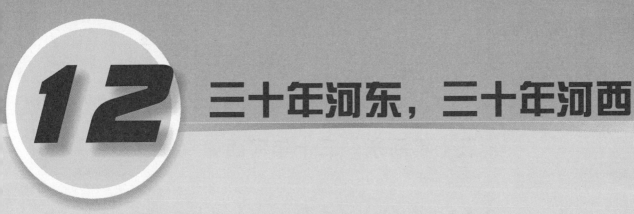

12 三十年河东，三十年河西

预习

这篇课文谈的是有关东西方文化的话题，同时继续学习"支持观点"的功能项目。请你预习课文，并试着回答下面的问题：

1. 这篇课文的主题是什么？

> A. 21世纪东方文化将占主导
>
> B. 东方和西方文化之间的差异
>
> C. 由西方文化而产生出的弊端
>
> D. 中医和西医治疗方法的不同

2. 根据课文内容填空，看看课文的生词表里，有没有你需要的词语：

> （1）作者认为，西方文化的源头是_____文化，而_____文化、_____文化和_____文化构成了东方文化。
>
> （2）西方文化从_____以来，已经_____了几百年，在整个20世纪占_____地位。
>
> （3）但是，目前世界上出现了种种弊端，如生态平衡_____、全球气温_____、淡水资源_____、森林被_____、江河湖海_____、动植物种_____以及新疾病_____。在作者看来，这些弊端都和_____有一定的关系。
>
> （4）作者认为，东西方文化的不同在于其_____的差异。东方的思维模式是_____的，而西方的思维模式则是_____的。因此，在社会发展上，东方哲学主张_____，而西方则提倡_____。对大自然穷追猛打，会产生很多_____。
>
> （5）在作者看来，要解决这些弊端，只靠_____是不够的，必须要有一个指导思想，那就是东方"_____"的思想。
>
> （6）因此，作者认为"_____，_____"，他认为在21世纪，_____文化将占主导地位。

课文

三十年河东，三十年河西

从宏观上来看，希腊文化延续发展为西方文化，欧美都属于西方文化的范畴，而中国文化、印度文化、阿拉伯伊斯兰文化构成了东方文化。东方文化和西方文化这两大文化体系之间是互相学习的，但是在一个相当长的时期内，可能有一方占主导地位。从目前情况来看，占主导地位的是西方文化，但从历史上来看，东方文化和西方文化二者的关系是"三十年河东，三十年河西"。因为文化的发展不是一成不变的，每一种文化都有一个诞生、成长、兴盛、衰落的过程。东方文化到了衰落的阶段，西方文化就会代之而起；而当西方文化面临危机时，代之而起的必是东方文化。

西方文化从文艺复兴以来，已经兴盛了几百年，把世界生产力提高到了空前的水平，但它同世界上所有的文化一样，也决不是永世长存的，迟早也会衰落。20世纪20年代前后，西方的有些学者已经看出这种衰落的端倪，预言当时如日中天的西方文化也会没落。事实上，在今天，西方文化已逐渐呈现出强弩之末的样子。具体表现是以西方文化为主导的世界，出现了很多威胁人类生存的弊端，比如生态平衡遭到破坏、全球气温变暖、淡水资源匮乏、森林被过度砍伐、江河湖海受到污染、动植物种不断灭绝、新疾病频繁出现等等，所有这些都威胁着人类的发展甚至生存。

西方文化产生这些弊端的原因，在于其基本思维模式。简而言之，我认为，东方的思维模式是综合的，它照顾到了事物的整体，有全局观念，中国"天人合一"的思想是典型的东方思想。而西方的思维模式则是分析的，它抓住一个东西，特别是物质的东西，不断地分析下去，分析到极其细微的程度，可是往往忽视了整体联系。比方说，在医学上，西医是头痛医头，脚痛医脚，

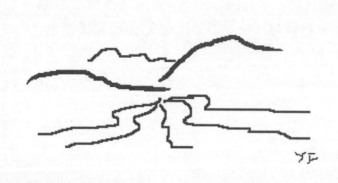

完全把人体分割开来，用一个成语来说就是，只见树木，不见森林。而中医则往往是头痛治脚，脚痛治头，把人体当做一个整体来看待，既见树木，又见森林。二者的差异，显而易见。不仅在医学上，这个区别表现在各个方面，再比如，在社

会发展上，东方哲学主张"天人合一"，西方则提倡征服自然。对大自然穷追猛打，从表面上来看，在一段时间内可能是成功的，大自然被迫满足了人类物质生活的需求，日子越过越红火，但是久而久之，却产生了以上种种危及人类生存的弊端。

有的学者认为要解决这些弊端，比如环境污染，只有发展科学，发展技术，发展经济，我不同意这种看法。为了保护环境不能抑制科学、技术和经济的发展，但是处理这个问题时，脑子里必须先有一个指导思想，那就是东方"天人合一"的思想。从发展的最初一刻起，就应当在这种指导思想下进行，牢记过去惨痛的教训，千方百计，尽最大的努力，对弊害加以抑制，决不能只是高喊"发展！发展！发展！"梦想有一天科学会自己找到办法，来解决发展所带来的弊端。否则，恐怕迟早有一天，我们会发现，这些弊端已经无法控制，这样一来，我们人类的前途就危险了。

正是由于这个原因，我认为"三十年河东，三十年河西"，21世纪应该是东方文化的世纪，东方文化将取代西方文化在世界上占主导地位。当然取代并不意味着消灭，准确地说，应该是在过去几百年来西方文化所达到的高度上，用东方"天人合一"的综合思维方式，把人类文化的发展推向一个更高的阶段，也可以称为"东西文化互补论"。

（作者：季羡林，有删改）

1 三十年河东，三十年河西	sānshí nián hé dōng, sānshí nián hé xī	指优势地位随时间而转换

◎ 上次和哲学系的比赛，我们队实力弱，输得很惨，可是三十年河东，三十年河西，这次我们的实力提高了，战胜他们应该没有问题。

2 宏观	hóngguān	【形】	大的方面 macroscopic

宏观经济　宏观调控

反义词：微观

3	范畴	fànchóu	【名】	领域，范围 category, domain

◎ "资本"这一概念属于经济学范畴。

4	体系	tǐxì	【名】	一些事物互相关联而构成的整体 system, setup

工业体系　经济体系　思想体系

5	主导	zhǔdǎo	【动】	领导全局，非常重要 to lead, to dominane, to guide

起主导作用　占主导地位

◎ 这个组织由几个大国主导。

6	一成不变	yì chéng bú biàn		一经形成，不再改变 invariable, changeless

◎ 世界上没有一成不变的事物。

7	诞生	dànshēng	【动】	指人出生或新事物出现 to be born, to come into being

◎ 这位伟人诞生于 1840 年。

◎ 一个新的时代诞生了。

8	兴盛	xīngshèng	【形】	经济、文化等事物在最良好的状态 prosperous

◎ 目前这个地区的文化非常兴盛。

◎ 通过改革，这个国家的国力兴盛起来。

9	衰落	shuāiluò	【动】	由兴盛下滑；由强大转为弱小 to decline, to be on the wane

◎ 11 世纪初期，这个国家的国力 / 文化开始衰落下去。

10	代之而起	dài zhī ér qǐ		一事物取代另一事物 to take sb's place
11	面临	miànlín	【动】	面对 to be faced with, to be confronted with

◎ 目前这家企业正面临着即将破产的困境 / 危险 / 严峻形势。

◎ 新世纪，人类将面临新的挑战。

12	文艺复兴	wényì fùxīng		特指 14 世纪至 16 世纪欧洲的主要文化思潮 the Renaissance

文艺复兴时期

13	生产力	shēngchǎnlì	【名】	人利用工具改造自然的能力 productive forces

◎ 他们采取各种措施来提高 / 发展生产力。

14	空前	kōngqián	【形】	程度是以前没有过的 unprecedented, unparalleled

◎ 改革开放以来，中国的经济取得了空前的进步。

15	永世长存	yǒng shì cháng cún		永远存在 everlasting, permanent
16	端倪	duānní	【名】	事情的头绪、迹象 clue, incline

◎ 作者认为，20世纪初期，西方文化就已经露出了衰落的端倪。

| 17 | 预言 | yùyán | 【动】 | 事情还没有发生而预先说出将要发生的状况 to prophesy, to predict, to foretell |

◎ 那位科学家大胆地预言，再过20年，世界很多著名的海滨城市将被海水淹没。

| 18 | 如日中天 | rú rì zhōng tiān | | 像正午的太阳，比喻事物正在兴盛的时候 like the sun at high noon, at the apex of one's power |

◎ 目前，这个国家的国力正如日中天。

| 19 | 没落 | mòluò | 【动】 | 走向灭亡 to decay |

◎ 这种灿烂的古文明已经没落了。

| 20 | 呈现 | chéngxiàn | 【动】 | 显出，露出 to take on, to appear, to emerge |

◎ 这些西南少数民族文化呈现出迷人的色彩。

| 21 | 强弩之末 | qiáng nǔ zhī mò | | 弩：古代用机械发箭的弓。强弩所发的箭，已达射程的尽头。比喻强大的力量已经快要用尽，不再有力量了 an arrow at the end of its flight-spent force |

◎ 上半场比赛他们跑动太多，下半场就成了强弩之末。

| 22 | 威胁 | wēixié | 【动】 | 使…面临危险 to threaten, to endanger |

◎ 由于火势很难控制，森林受到了严重的威胁。

◎ 洪水给周围地区造成严重的威胁。

| 23 | 弊端 | bìduān | 【名】 | 坏处 drawback, bad points, disadvantages |

◎ 这种企业制度存在严重的弊端。

| 24 | 生态平衡 | shēngtài pínghéng | | 指自然环境下生存和发展的平衡状态 the balance of nature |

保持生态平衡　破坏生态平衡

| 25 | 淡水 | dànshuǐ | 【名】 | 几乎不含盐的水 freshwater |

◎ 这个国家淡水资源非常匮乏。

| 26 | 匮乏 | kuìfá | 【形】 | 缺少（物资之类）be short of money or supplies |

能源匮乏　资源匮乏

资金匮乏　物资匮乏

| 27 | 砍伐 | kǎnfá | 【动】 | 用锯、斧等把树锯下来或弄倒 to fell(trees) |

◎ 这个地区禁止砍伐树木。

| 28 | 物种 | wùzhǒng | 【名】 | 生物分类的基本单位 species |

29	灭绝	mièjué	【动】	彻底消灭 to extinct

◎ 由于环境遭到破坏，很多物种已经灭绝了。

30	频繁	pínfán	【形】	间隔短暂的；(次数)多的 frequent

◎ 他们的交往很频繁。

◎ 你为什么这么频繁地换工作？

31	模式	móshì	【名】	事物发展的标准样式 pattern, design

经济模式　管理模式

经营模式　发展模式

32	简而言之	jiǎn ér yán zhī		简单地说 in one word

◎ 简而言之，儒家的理想就是"修齐治平"。

33	全局	quánjú	【名】	整个局面 overall situation

照顾全局　影响全局

34	天人合一	tiān rén hé yī		人类与大自然结合成一个统一体 human and nature combined to a whole

◎ 中国文化在很多方面都讲究天人合一。

35	典型	diǎnxíng	【形】	充分显现出其个性特征的 typical

◎ 作者认为，"天人合一"的思想是典型的东方文化。

			【名】	具有代表性的人或事物 model

◎ 这家公司是靠高科技取得成功的典型。

36	物质	wùzhì	【名】	指金钱、生活资料等 material

物质奖励

37	极其	jíqí	【副】	非常 very, extremely

极其关心　极其麻烦

38	细微	xìwēi	【形】	非常细小的 subtle, fine, tiny

细微的区别　细微的问题

39	忽视	hūshì	【动】	不重视 to neglect, to ignore

◎ 他因为工作忙而忽视了家庭。

40	头痛医头，脚痛医脚	tóu tòng yī tóu, jiǎo tòng yī jiǎo		比喻出了问题临时应付，不想根本解决的办法 to treat the head when the head aches, and treat the foot when the foot hurts; to take stopgap measures

◎ 出了问题一定要找到根本原因，不能头痛医头，脚痛医脚。

41	只见树木， 不见森林	zhǐ jiàn shùmù, bú jiàn sēnlín		比喻只看到个别的事物，看不到整体 fail to see the wood for the trees
42	差异	chāyì	【名】	区别，不同 difference, divergence, diversity

◎ 东西方文化之间存在着巨大的差异。

43	显而易见	xiǎn ér yì jiàn		指事情或道理得明显，很容易看出来 obviously, evidently, clearly

◎ 显而易见，这是你的错。

44	主张	zhǔzhāng	【动】	对某种行动提出见解 to maintain, to stand for

◎ 我们主张和平解决国际纠纷。

			【名】	对如何行动的见解 view

◎ 这是我们一贯的主张。

45	提倡	tíchàng	【动】	由于某事物好而鼓励人们去做 to advocate, to call for

◎ 这个环保组织提倡骑自行车。

46	征服	zhēngfú	【动】	施加影响或运用力量、手段使对方服从或佩服 to conquer

征服大自然　征服观众

47	穷追猛打	qióng zhuī měng dǎ		不断地追打，不让对方休息 to go in hot pursuit

◎ 既然他已经认错了，你就不要对他穷追猛打了。

48	红火	hónghuo	【形】	生活很富裕，经济很繁荣，口语 prosperous

◎ 他们的日子过得很红火。

49	危及	wēijí	【动】	威胁到 to endanger

◎ 城市改造正危及传统街区的保护。

50	抑制	yìzhì	【动】	压制，不让发展 to restrain, to repress

◎ 政府正在采取措施抑制*通货膨胀 / 经济的过快增长*。

51	处理	chǔlǐ	【动】	处置，安排，料理 to handle, to deal with, to dispose of, to manage, to tackle

◎ 你回国时，家具是怎么处理的？

◎ 这个问题非常复杂，很不好处理。

52	惨痛	cǎntòng	【形】	严重而痛苦的 bitter and paintful

◎ 谁都不应该忘记两次世界大战的惨痛教训。

53	千方百计	qiān fāng bǎi jì		想尽一切办法 by every possible way

◎ 他们正千方百计占领市场。

54	*加以	jiāyǐ	【动】	给以某种动作，书面语

◎ 我们正在对这一问题加以解决 / 处理 / 研究。

55	消灭	xiāomiè	【动】	除掉（敌对的或有害的）人或事物 to annihilate, to eliminate

消灭敌人　　消灭贫困

56	互补	hùbǔ	【动】	互相补充 to complement

优势互补　　性格互补

◉ 专名

1. 希腊	Xīlà	Greece
2. 印度	Yìndù	India
3. 阿拉伯	Ālābó	Arabia
4. 伊斯兰	Yīsīlán	Islam

词语辨析

1.忽视　忽略

　　两个词语都是动词，都有"不注意"的意思，但是"忽视"是贬义词，意思是"对应该重视的事物不重视"，如："忽视道德教育、忽视健康。""忽略"虽然也有这方面的意思，但是它的语义重点是"对认为不重要的事物不注意"，如："既然演出很成功，中间的小问题就可以忽略了。"

2. 衰落　没落

两个词都是形容词，都表示从强到弱，但是"衰落"是处在从强到弱的过程中，而"没落"是已经完全变弱，程度重。如："国家开始衰落、国力衰落下去；没落的家族、文明完全没落了"。

3. 消灭　灭绝

两个词都是动词，意思都是除掉某种事物，但是"消灭"是褒义词，后面的宾语多为不好的事物，如："消灭敌人、消灭贫困"；而"灭绝"是贬义词，后面的宾语多为好的事物，如："灭绝人性，灭绝良知"。另外"灭绝"还可以用于某种事物完全消亡，如："很多物种灭绝了。""消灭"没有这种用法。

 词语练习

一　请你根据拼音写出汉字，然后把它们填在合适的句子里：

> hóngguān　zhǔdǎo　dànshēng　xīngshèng　shuāiluò

1. 从（　　　）上看，世界文化可以分为东方文化和西方文化。
2. 一般认为，唐朝是中国文化最（　　　）的时期。
3. 历史学家正在分析这种灿烂的文明（　　　）的原因
4. 由于黄河流域（　　　）了中华文明，因此黄河被中国人称作"母亲河"。
5. 20世纪西方文化占（　　　）地位。

> miànlín　wēixié　duānní　yùyán　chéngxiàn

6. 作者认为，工业革命结束后，东方文化露出了衰落的（　　　）。
7. 进入21世纪之后，人类在很多方面都（　　　）新的挑战。
8. 这位科学家大胆地（　　　），再过20年，很多世界著名的海滨城市将被海水淹没。

9. 这些西南少数民族文化（　　　）出迷人的色彩。

10. 目前，环境污染正（　　　）着人类的生存。

> bìduān　shēngtài　pínghéng　kuìfá　kǎnfá　mièjué　pínfán

11. 这种家庭经济政策存在很多（　　　）。

12. 由于能源（　　　），这个国家只能发展外向型经济。

13. 很多物种（　　　）的问题提醒我们应该关注自身的生存环境。

14. 森林被过度（　　　）会破坏（　　　）。

15. 不少人由于缺乏对自身正确的认识，（　　　）地更换工作单位。

> diǎnxíng　jíqí　hūshì　chāyì　zhēngfú

16. 他性格很豪爽，是个（　　　）的北方人。

17. 我对他这种做法（　　　）反感。

18. 这种文化间的（　　　）有时会发展为地区冲突。

19. 无论如何，你都不应该（　　　）对孩子的教育。

20. 我们自以为（　　　）了自然，其实自然都加倍地报复了我们。

二　把下面的词语填到最合适的句子中：

> 忽视　　忽略　　消灭　　灭绝　　没落　　衰落

1. 既然你总是感到头疼，就应该去医院好好儿检查一下，千万不能（　　　）。

2. 他只注意到送来的书，（　　　）了里面还夹着一封信。

3. 早在上个世纪，这个如日中天的国家就露出了（　　　）的端倪。

4. 这家有83年历史的大企业经过几次危机之后已经完全（　　　）了。

5. 他们希望用五年的时间在中西部地区彻底（　　　）贫困。

6. 到目前为止科学家们还不能确定恐龙（　　　）的真正原因。

三　在下面的形容词后填上合适的名词，并用这个组合造句：

红火的（　　　）　　　　惨痛的（　　　）　　　　兴盛的（　　　）

细微的（　　　）　　　　典型的（　　　）　　　　衰落的（　　　）

四 在下面的动词后填上合适的词语，然后用这个搭配造一个句子：

提倡（　　　）　　　征服（　　　）　　　处理（　　　）

忽视（　　　）　　　砍伐（　　　）　　　抑制（　　　）

五 写出下面词语的反义词：

忽视——　　　　　兴盛——　　　　　弊端——　　　　　物质——

六 根据下面的句子写出一个成语，然后用这个成语造一个句子：

1. 一经形成，不再改变。（　　　　　　　）
2. 像正午的太阳，比喻事物正在兴旺的时候。（　　　　　　　）
3. 比喻强大的力量已经快要用尽，不再有力量了。（　　　　　　　）
4. 简单地说。（　　　　　　）
5. 比喻出了问题临时应付，不想根本的解决办法。（　　　　　　　　　）
6. 比喻只看到个别的事物，看不到整体。（　　　　　　）
7. 指事情或道理很明显，很容易看出来。（　　　　　）
8. 不断地追打，不让对方休息。（　　　　　　）
9. 想尽一切办法。（　　　　　）

七 查字典，看看下面词语和其中的黑体字是什么意思，然后再写出两个由这个黑体字组成的词语：

兴盛　**兴**旺　　　＿＿＿＿＿＿＿＿　　　＿＿＿＿＿＿＿＿

衰落　**衰**老　　　＿＿＿＿＿＿＿＿　　　＿＿＿＿＿＿＿＿

匮乏　缺**乏**　　　＿＿＿＿＿＿＿＿　　　＿＿＿＿＿＿＿＿

弊端　作**弊**　　　＿＿＿＿＿＿＿＿　　　＿＿＿＿＿＿＿＿

忽视　重**视**　　　＿＿＿＿＿＿＿＿　　　＿＿＿＿＿＿＿＿

语言点

1 从……来看

● 从宏观上来看，希腊文化延续发展为西方文化。

　　这个结构表示从某方面来考虑，可以得出某种结论。例如：

① 从目前情况来看，占主导地位的是西方文化，但从历史上来看，东方文化和西方文化二者的关系是"三十年河东，三十年河西"。

② 从表面上来看，他们的关系很好，实际上却充满矛盾。

2 迟早

● 西方文化从文艺复兴以来，已经兴盛了几百年，把世界生产力提高到了空前的水平，但它同世界上所有的文化一样，也决不是永世长存的，迟早也会衰落。

　　"迟早"，是副词，或早或晚的意思，表示随着前面说到的情况和条件的出现，必然产生后面的结果，常和"会"、"要"等词语连用。例如：

① 交通问题虽然严重，但只要大家努力，迟早总会解决。

② 中国人认为，骄傲的人迟早要出问题。

3 其

● 西方文化产生这些弊端的原因，在于其基本思维模式。

　　"其"文言代词，用在书面语当中，指代前面提到的对象，表示"它的（他的、她的）"。适当使用，可以使行文比较简洁。例如：

① 在中国，哲学不是一种知识，其目标是要给人生和社会问题提供解决的方案。

② 本文将探讨中国农村改革及其未来的发展趋势。

4 加以

● 应当在这种指导思想下进行，牢记过去惨痛的教训，千方百计，尽最大的努力，对弊害加以抑制。

　　"加以"，多用在双音节动词前，表示如何对待或处理前面所提到的事物，多用于书面。例如：

① 学校决定，对于考试作弊的学生要及时加以处理。

② 他们对调查结果加以分析之后，发现了产生问题的原因。

5 否则

● 决不能只是高喊"发展！发展！发展！"梦想有一天科学会自己找到办法，来解决发展所带来的弊端。否则，恐怕迟早有一天，我们会发现，这些弊端已经无法控制。

"否则"，连词，意思是"如果不是这样"或"不然的话"，语气较为正式。例如：

① 你应该大胆地开口讲话，否则就不能提高口语水平。

② 他一定不是有意伤害你的，否则，你批评他的时候，他怎么会一脸茫然的表情呢？

语言点练习

一 用所给词语或句型完成对话或改写句子：

1. A：你认为目前中国社会存在哪些问题？

   B：＿＿＿＿＿＿＿＿＿＿＿＿＿＿＿＿。（从……来看）

2. A：你觉得东方文化和西方文化有什么差异？

   B：＿＿＿＿＿＿＿＿＿＿＿＿＿＿＿＿。（从……来看）

3. 如果你总是违反交通规则，＿＿＿＿＿＿＿＿＿＿＿＿。（迟早）

4. 整天疯狂地工作，而不注意锻炼，＿＿＿＿＿＿＿＿＿＿＿。（迟早）

5. 我认为东西方文化最大的不同在于它们的思维模式存在差异。

   ＿＿＿＿＿＿＿＿＿＿＿＿＿＿＿＿＿＿＿。（其）

6. 上海地处长江入海口，它的地理位置非常重要。

   ＿＿＿＿＿＿＿＿＿＿＿＿＿＿＿＿＿＿＿。（其）

7. 本文将探讨中国的改革开放和它的发展趋势。

   ＿＿＿＿＿＿＿＿＿＿＿＿＿＿＿＿＿＿＿。（及其）

8. 语言学家建议简化这种文字。

   ＿＿＿＿＿＿＿＿＿＿＿＿＿＿＿＿＿＿＿。（加以）

9. 学校要严肃处理考试作弊的学生。

   ＿＿＿＿＿＿＿＿＿＿＿＿＿＿＿＿＿＿＿。（加以）

10. 你应该在农村住一段时间，＿＿＿＿＿＿＿＿＿＿＿＿。（否则）

11. 除非你真正爱一个人，＿＿＿＿＿＿＿＿＿＿＿＿。（否则）

二　用本课重要的语言点造句：

从……来看

迟早

在于

加以

否则

综合练习

一　选择合适的介词填空，然后对照课文，看填得是否正确：

以　　对　　把　　被　　从

1.（　　　）宏观上来看，希腊文化延续发展为西方文化，欧美都属于西方文化的范畴。

2. 西方文化从文艺复兴以来，已经兴盛了几百年，（　　　）世界生产力提高到了空前的水平。

3. 在今天，西方文化已逐渐呈现出强弩之末的样子。具体表现是（　　　）西方文化为主导的世界出现了很多威胁人类生存的弊端。

4. 森林（　　　）过度砍伐、江河湖海受到污染、动植物种不断灭绝、新疾病频繁出现等等，所有这些都威胁着人类的发展甚至生存。

5. 比方说，在医学上，西医是头痛医头，脚痛医脚，完全（　　　）人体分割开来，用一个成语来说就是，只见树木，不见森林。

6. 中医则往往是头痛治脚，脚痛治头，（　　　）人体当做一个整体来看待，既见树木，又见森林。

7. 应当在这种指导思想下进行，牢记过去惨痛的教训，千方百计，尽最大的努力，（　　　）弊害加以抑制。

二 先读下面这段课文，注意黑体字的作用，然后根据后面的提示，完成练习。

（a）西方文化产生这些弊端的原因，在于其基本**思维模式**。（b）简而言之，我认为，东方的**思维模式**是综合的，它照顾到了事物的整体，有全局观念，中国"天人合一"的思想是典型的东方思想。而西方的**思维模式**则是分析的，它抓住一个东西，特别是物质的东西，不断地分析下去，分析到极其细微的程度，可是往往忽视了整体联系。（c）比方说，在医学上，西医是头痛医头，脚痛医脚，完全把人体分割开来，用一个成语来说就是，只见树木，不见森林。而中医则往往是头痛治脚，脚痛治头，把人体当做一个整体来看待，既见树木，又见森林。二者的差异，显而易见。（d）不仅在医学上，这个区别表现在各个方面，再比如，在社会发展上，东方哲学主张"天人合一"，西方则提倡征服自然。对大自然穷追猛打，从表面上来看，在一段时间内可能是成功的，大自然被迫满足了人类物质生活的需求，日子越过越红火，但是久而久之，却产生了以上种种危及人类生存的弊端。

* 在这一段课文中，a 是这一段的主题，b 是对主题的进一步说明，c d 则是两个例证。请你仿照这个段落的结构，使用文中的黑体字，在下面的两个题目中任选一个，写一段 250 字左右的文章。

- 环境污染的根源
- 战争的根源

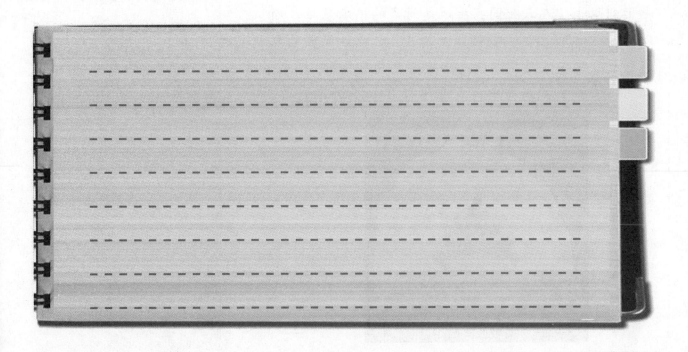

阅读 副课文

中国哲学的背景

《论语》(Lúnyǔ) 中有一段话："子曰 (zǐyuē)：知者乐水，仁者乐山；知者动，仁者静；知者乐，仁者寿。"

我认为，这段话暗示着古代中国人和古代希腊人的不同。中国是大陆国家。古代中国人以为，他们的国土就是世界。汉语中有两个词语都可以译成"世界"。一个是"天下"，另一个是"四海之内"。海洋国家的人，如希腊人，也许不能理解这两个词语竟然是同义词，但是这种事就发生在汉语里，而且是不无道理的。

古代中国和希腊的哲学家不仅生活于不同的地理条件，也生活于不同的经济条件。

由于中国是大陆国家，中华民族只能以农业为生。甚至今天中国人口中从事农业的估计占百分之七十到八十。在农业国，土地是财富的根本基础。所以贯穿 (guànchuān) 在中国历史中，社会、经济的思想和政策的中心总是围绕着土地的利用和分配。

在这样一种经济中，农业不仅在和平时期重要，

《论语》：记录孔子言行的书籍，儒家重要的经典。

子曰：孔子说。

者：…的人。

贯穿：从头到尾穿过一个或一系列事物。

在战争时期也一样重要。战国时期 (前 480—前 222)，当时中国分成许多封建王国，每个国家都高度重视所谓的"耕战（gēngzhàn）之术"。最后，七雄（qīxióng）之一的秦国在耕战两方面都获得优势，结果胜利地征服了其他各国，实现了中国历史上的第一次统一。

在中国社会、经济思想中，有所谓的"本""末"之别。"本"指农业，"末"指商业。区别本末的理由是，农业关系到生产，而商业只关系到交换。在交换之前，必须先有生产。在农业国家里，农业是生产的主要形式，所以中国古代的社会、经济理论和政策大都是主张"重本轻末"的。

从事末作（mòzuò）的人，即商人，因此都受到轻视。社会有四个传统的阶级，即士、农、工、商，商是其中最下一个等级。"士"通常就是指当官有职位的人和读书人，"农"就是实际耕种土地的农民。在中国，这是两种光荣的职业。一个家庭若能"耕读传家"，那是值得自豪的。"士"虽然本身并不实际耕种土地，可是由于他们通常是地主，他们的命运也系于农业。收成的好坏关系着他们命运的好坏，所以他们对宇宙的反应，对生活的看法，在本质上就是"农"的反应和看法。加上他们所受的教育，他们可

以把实际耕种的"农"所感受到而自己又不能表达的东西表达出来。这些思想体现在中国古代哲学、文学著作中，或其他艺术形式中。

农民只能靠土地为生，而土地是不能移动的，作为"士"的地主也是如此，除非他有特殊的才能，否则他们只能祖祖辈辈生活在那个地方。这就是说，由于经济的原因，一家几代人都要生活在一起。这样就发展起来了中国的家族制度，它

耕战之术：农业和军事方法。

七雄：战国时期七个最主要的国家。

末作：旧时指工商业。

耕读传家：把从事农业和读书作为家庭的传统。

无疑是世界上关系最复杂、组织极有序的制度之一。在儒家学说中有相当多的内容是论证这种制度合理性的，和对这种社会制度加以理论说明的。

　　古代家族制度是中国社会制度的直接体现。传统的五种社会关系：君臣（jūnchén）、父子、兄弟、夫妇、朋友，其中三种是家族关系。其余两种，实际是家族关系的扩展，因此也可以按照家族来理解。君臣关系可以按照父子关系来理解，朋友关系可以按照兄弟关系来理解。通常人们也真的是这样来理解的。但是这几种不过是主要的家族关系，另外还有许许多多。公元前有一部最早的汉语词典《尔雅》（Ěryǎ），其中表示各种家族关系的名词有一百多个，而大多数在英语里都没有直接相当的词。

　　由于同样的原因，祖先（zǔxiān）崇拜也发展起来了。居住在某地的一个家族，所崇拜的祖先通常就是这个家族中第一个将全家定居此地的人。这样他就成了这个家族团结的象征，这样的一个象征是一个又大又复杂的组织必不可少的。

　　儒家学说的大部分内容都在论证这种社会制度的合理性，或者是这种制度的理论说明。经济条件打下了它的基础，儒家学说说明了它的伦理（lúnlǐ）意义。由于这种社会制度是一定的经济条件的产物，而这些条件又是其地理环境的产物，所以对于中华民族来说，这种制度及其理论说明，都是很自然的。因此，儒家学说自然而然成为正统哲学。

（选自冯友兰《中国哲学简史》，有删改）

君臣：国王和下属官员。

祖先：民族或家族较早的上代。

伦理：人际关系中的道德准则。

副课文练习

一 阅读文章，根据文章完成下面段落：

　　1. 中国和古代希腊地理条件不同。中国是_____国家，而古希腊是_____国家。汉语中_____和_____都可以译成"世界"。对此，希腊人也许不能理解。

　　2. 古代中国和希腊的哲学家不仅生活于不同的地理条件，也生活于不同的_____。

　　由于中国是大陆国家，中华民族只有以_____为生。在农业国，_____是财富的根本基础。所以中国历史上的思想和政策总是围绕着_____。

　　3. 在中国社会、经济思想中，有"本""末"之别。"本"指_____，"末"指_____。中国古代"重本轻末"，因此_____受到轻视。社会有四个传统的阶级，即_____、_____、_____、_____，商是其中最下一个等级。"士"通常就是_____，"农"就是_____。在中国，这是两种光荣的职业。一个家庭若能"_____传家"，那是值得自豪的。"士"虽然本身并不实际耕种土地，可是由于他们通常是地主，他们的命运也系于_____。他们表达出的农业思想体现在中国古代哲学、_____中，或其他_____中。

　　4. 农民只能靠土地为生，而土地是不能_____的，由于经济的原因，一家几代人都要_____。这样就发展起来了中国的_____，这是儒家学说的核心内容之一，在五种重要的社会关系：君臣、父子、兄弟、夫妇、朋友，其中三种就是_____。

　　5. 社会制度是经济条件的产物，而这些条件又是其_____的产物，所以对于中华民族来说，这种制度及其理论说明，都是很自然的。因此，_____自然而然成为中国的正统哲学。

二 说说下面这些话的含义，并说出它们分别说明哪个观点：

1. 子曰：知者乐水，仁者乐山；知者动，仁者静；知者乐，仁者寿。

2. 七雄之一的秦国在耕战两方面都获得优势，结果胜利地征服了其他各国，实现了中国历史上的第一次统一。

3. 公元前有一部最早的汉语词典《尔雅》，其中表示各种家族关系的名词有一百多个，而大多数在英语里都没有直接相当的词。

三 讨论下面的问题：

1. 你觉得农业对中国文化有哪些影响？
2. 你对东西方文化差异有什么看法？
3. 你同意地理决定文化的观点吗？为什么？

附录一　词汇总表

A		
1	暗示	ànshì	10

B		
2	白日梦	báirìmèng	6
3	白象街	Báixiàng Jiē	2 副
4	扮演	bànyǎn	11
5	绑	bǎng	6 副
6	保持	bǎochí	6
7	保佑	bǎoyòu	9
8	报到	bàodào	1
9	抱怨	bàoyuàn	10
10	爆炸	bàozhà	4
11	悲伤	bēishāng	5
12	背景	bèijǐng	5
13	奔跑	bēnpǎo	6
14	本能	běnnéng	11
15	比方说	bǐfangshuō	8
16	比例	bǐlì	8 副
17	毕竟	bìjìng	8
18	弊端	bìduān	12
19	鞭炮	biānpào	7
20	贬	biǎn	9
21	变化多端	biànhuà duōduān	8
22	表兄	biǎoxiōng	9
23	别	bié	1
24	别扭	bièniu	6
25	剥夺	bōduó	6 副
26	跛	bǒ	6 副
27	捕鱼	bǔ yú	4

28	不动产	búdòngchǎn	4
29	不简单	bù jiǎndān	8
30	不屈	bùqū	6
31	不祥	bùxiáng	10
32	不屑	búxiè	7
33	不约而同	bù yuē ér tóng	1

C		
34	财富	cáifù	4
35	采访	cǎifǎng	5
36	菜肴	càiyáo	7
37	参天	cāntiān	3 副
38	残疾	cánjí	6
39	惨	cǎn	6
40	惨痛	cǎntòng	12
41	操心	cāo xīn	2
42	差异	chāyì	12
43	蝉	chán	5
44	肠道	chángdào	11
45	场面	chǎngmiàn	6
46	超声波	chāoshēngbō	1
47	超市	chāoshì	8
48	超越	chāoyuè	6
49	潮	cháo	5
50	车如流水	chē rú liúshuǐ	3
51	呈现	chéngxiàn	12
52	承认	chéngrèn	2
53	驰骋	chíchěng	1 副
54	迟钝	chídùn	6 副
55	耻辱	chǐrǔ	6 副

		E	
123	恶劣	èliè	11
		F	
124	发财	fā cái	7
125	发挥	fāhuī	11
126	发毛	fā máo	1
127	发射	fāshè	4
128	法号	fǎhào	7 副
129	法则	fǎzé	11
130	番	fān	6
131	番茄	fānqié	8 副
132	凡是	fánshì	8
133	繁星	fánxīng	5
134	繁重	fánzhòng	4
135	反驳	fǎnbó	7
136	反观	fǎnguān	5
137	反抗	fǎnkàng	7
138	饭馆	fànguǎn	8
139	饭盒	fànhé	8
140	范畴	fànchóu	12
141	妨害	fánghài	11
142	仿佛	fǎngfú	5
143	放弃	fàngqì	1
144	费尽心机	fèijìn xīnjī	1
145	分泌	fēnmì	11
146	坟墓	fénmù	9
147	愤怒	fènnù	11
148	丰满	fēngmǎn	5
149	丰盛	fēngshèng	7
150	风格	fēnggé	5
151	疯狂	fēngkuáng	3
152	锋利	fēnglì	11
153	逢年过节	féng nián guò jié	9
154	佛	fó	8

155	符合	fúhé	2
156	父老乡亲	fùlǎo xiāngqīn	9
		G	
157	钙	gài	11 副
158	概念	gàiniàn	1
159	干脆	gāncuì	1
160	甘美	gānměi	2
161	钢琴	gāngqín	8
162	高尔夫球	gāo'ěrfūqiú	8
163	高楼林立	gāolóu línlì	3
164	高尚	gāoshàng	2
165	高血压	gāoxuèyā	11
166	格局	géjú	3 副
167	格言	géyán	7 副
168	根源	gēnyuán	6
169	耕读传家	gēngdú chuánjiā	12 副
170	耕战之术	gēng zhàn zhī shù	12 副
171	公顷	gōngqǐng	4
172	公寓	gōngyù	9
173	功劳	gōngláo	4
174	恭敬	gōngjìng	10
175	构词	gòucí	8
176	姑且	gūqiě	11
177	孤独	gūdú	4
178	古典	gǔdiǎn	3
179	观测	guāncè	4
180	观赏	guānshǎng	3
181	观音岩	guānyīnyán	2 副
182	管	guǎn	2
183	贯穿	guànchuān	12
184	罐	guàn	10
185	光彩	guāngcǎi	1 副
186	光环	guānghuán	10
187	逛街	guàng jiē	3

188	轨道	guǐdào	4
189	滚雪球	gǔn xuěqiú	2
190	果然	guǒrán	7
191	过山车	guòshānchē	3

H

192	海报	hǎibào	2 副
193	海滨	hǎibīn	5
194	海带	hǎidài	11 副
195	海鸥	hǎi'ōu	5
196	海市蜃楼	hǎi shì shèn lóu	4
197	寒舍	hánshè	7
198	毫无	háo wú	8
199	毫无动静	háo wú dòngjing	2 副
200	好样儿	hǎoyàngr	6
201	好奇	hàoqí	1
202	何必	hébì	7 副
203	核弹头	hédàntóu	4
204	核桃仁	hétaorén	11 副
205	荷花	héhuā	4 副
206	黑客	hēikè	8
207	恨不得	hènbude	6
208	红火	hónghuo	12
209	宏观	hóngguān	12
210	呼应	hūyìng	2
211	忽略	hūlüè	3
212	忽视	hūshì	12
213	糊涂	hútu	7 副
214	互补	hùbǔ	12
215	花生	huāshēng	11
216	华侨	huáqiáo	7
217	滑冰	huá bīng	6
218	化肥	huàféi	4 副
219	化妆	huà zhuāng	10
220	怀孕	huáiyùn	1

221	欢呼	huānhū	4
222	唤醒	huànxǐng	5
223	荒诞	huāngdàn	10
224	荒岛	huāngdǎo	2
225	黄	huáng	2
226	黄昏	huánghūn	4
227	恍如隔世	huǎng rú gé shì	6 副
228	挥舞	huīwǔ	6
229	毁灭	huǐmiè	4
230	晦气	huìqì	10
231	婚丧嫁娶	hūn sàng jià qǔ	9
232	活力	huólì	5
233	活泼	huópo	2
234	祸源	huòyuán	11

J

235	肌肉	jīròu	7
236	积极	jījí	2
237	基督徒	jīdūtú	10
238	基因	jīyīn	8 副
239	吉祥	jíxiáng	10
240	吉凶	jíxiōng	10
241	即	jí	9
242	即将	jíjiāng	4
243	极	jí	8
244	极其	jíqí	12
245	己所不欲， 勿施与人	jǐ suǒ bú yù, wù shī yǔ rén	11
246	计较	jìjiào	7 副
247	纪录	jìlù	6
248	忌讳	jìhuì	10
249	寂寞	jìmò	4
250	祭祀	jìsì	9
251	加以	jiāyǐ	12
252	家伙	jiāhuo	7

253	家教	jiājiào	10		287	久而久之	jiǔ ér jiǔ zhī	11
254	家畜	jiāchù	4 副		288	就	jiù	11 副
255	家族	jiāzú	9		289	局限	júxiàn	6
256	假仁假义	jiǎ rén jiǎ yì	1 副		290	菊花	júhuā	5 副
257	假若	jiǎruò	6		291	举动	jǔdòng	11
258	假惺惺	jiǎxīngxīng	1 副		292	巨大	jùdà	9
259	坚果	jiānguǒ	11 副		293	捐	juān	7
260	艰难	jiānnán	6 副		294	卷入	juǎnrù	11 副
261	简而言之	jiǎn ér yán zhī	12		295	决赛	juésài	6
262	简化	jiǎnhuà	8		296	绝对	juéduì	2
263	碱性	jiǎnxìng	11		297	君臣	jūnchén	12 副
264	见多识广	jiàn duō shí guǎng	3 副				**K**	
265	见闻	jiànwén	9		298	开端	kāiduān	9
266	健美	jiànměi	6		299	砍	kǎn	3 副
267	箭	jiàn	8		300	砍伐	kǎnfá	12
268	讲究	jiǎngjiu	7 副		301	康乃馨	kāng nǎi xīn	1
269	酱油	jiàngyóu	8		302	慷慨	kāngkǎi	4
270	交涉	jiāoshè	8		303	可见	kějiàn	8
271	交响乐	jiāoxiǎngyuè	5		304	可口	kékǒu	5 副
272	焦急	jiāojí	1 副		305	可遇不可求	kě yù bù kě qiú	2
273	礁石	jiāoshí	3					
274	教堂	jiàotáng	5		306	渴望	kěwàng	6 副
275	教养	jiàoyǎng	7		307	刻薄	kèbó	9 副
276	皆	jiē	5 副		308	空洞	kōngdòng	2
277	结结巴巴	jiējiēbābā	1		309	空难	kōngnàn	10
278	节奏	jiézòu	3		310	空前	kōngqián	12
279	紧迫	jǐnpò	1 副		311	恐怖	kǒngbù	11
280	尽然	jìnrán	2		312	口罩	kǒuzhào	4 副
281	经典	jīngdiǎn	9		313	枯萎	kūwěi	4 副
282	惊呼	jīnghū	3		314	哭泣	kūqì	4
283	惊讶	jīngyà	1		315	酷	kù	9
284	警告	jǐnggào	1		316	矿物质	kuàngwùzhì	11
285	境界	jìngjiè	2		317	匮乏	kuìfá	12
286	纠纷	jiūfēn	8		318	捆	kǔn	8

384	妞妞	niūniu	1 副
385		**O**	
386	偶像	ǒuxiàng	6
387		**P**	
388	拍摄	pāishè	3 副
389	盘问	pánwèn	7
390	庞大	pángdà	5
391	佩服	pèifú	7
392	烹制	pēngzhì	11 副
393	碰	pèng	10
394	偏爱	piān'ài	5
395	偏偏	piānpiān	10
396	片刻	piànkè	3
397	拼命	pīn mìng	7
398	拼写	pīnxiě	1
399	频繁	pínfán	12
400	品学兼优	pǐn xué jiān yōu	2
401	屏幕	píngmù	1
402	破除	pòchú	10
403	扑克	pūkè	8
404	菩萨	púsà	9
405	普天下	pǔ tiānxià	10
		Q	
406	七姑八姨	qī gū bā yí	9
407	七雄	qī xióng	12 副
408	欺侮	qīwǔ	11
409	奇异	qíyì	4
410	歧义	qíyì	1 副
411	祈祷	qídǎo	6
412	祈求	qíqiú	9
413	旗帜	qízhì	6
414	气氛	qìfēn	2
415	器官	qìguān	11
416	恰恰	qiàqià	2
417	千方百计	qiān fāng bǎi jì	12
418	千万	qiānwàn	7
419	谦虚	qiānxū	7
420	强烈	qiángliè	11
421	强弩之末	qiáng nǔ zhī mò	12
422	乔木	qiáomù	3
423	桥牌	qiáopái	8
424	亲近	qīnjìn	3
425	侵犯	qīnfàn	10
426	青睐	qīnglài	10
427	轻缓	qīnghuǎn	5
428	清澈	qīngchè	4 副
429	清单	qīngdān	4
430	清点	qīngdiǎn	4
431	清闲	qīngxián	3
432	晴朗	qínglǎng	4
433	穷追猛打	qióng zhuī měng dǎ	12
434	求签	qiú qiān	10
435	趣味	qùwèi	2
436	圈子	quānzi	9
437	全局	quánjú	12
438	全能	quánnéng	6
439	拳击	quánjī	6
440	犬子	quǎnzǐ	7
441	劝架	quàn jià	2 副
442	缺乏	quēfá	2
443	缺席	quē xí	6
444	瘸子	quézi	6 副
		R	
445	燃烧	ránshāo	6
446	人类学	rénlèixué	10
447	荣誉	róngyù	2
448	容器	róngqì	8
449	容许	róngxǔ	7

450	榕树	róngshù	3 副
451	柔韧	róurèn	7
452	如日中天	rú rì zhōng tiān	12
453	儒家	rújiā	9
454	若	ruò	5 副
455	弱肉强食	ruò ròu qiáng shí	11

S

456	赛马	sàimǎ	10
457	三步当作两步	sān bù dàngzuò liǎng bù	2 副
458	三十年河东，三十年河西	sānshí nián hédōng, sānshí nián héxī	12
459	散文	sǎnwén	9
460	扫帚	sàozhou	7
461	色彩	sècǎi	9
462	杀虫剂	shāchóngjì	4 副
463	沙锅	shāguō	7
464	沙拉	shālā	11 副
465	沙漠	shāmò	4
466	沙滩	shātān	3
467	傻里傻气	shǎlishǎqì	7
468	上帝	shàngdì	4
469	上年纪	shàng niánjì	3
470	烧香	shāoxiāng	10
471	少之又少	shǎo zhī yòu shǎo	2
472	奢侈	shēchǐ	9
473	设施	shèshī	3
474	社交	shèjiāo	9
475	神秘	shénmì	10
476	神情	shénqíng	3
477	生产力	shēngchǎnlì	12
478	生理	shēnglǐ	8
479	生态平衡	shēngtài pínghéng	12

480	生肖	shēngxiào	10 副
481	圣火	shènghuǒ	6
482	尸骨	shīgǔ	4
483	失手	shī shǒu	10
484	十字架	shízìjià	10
485	事先	shìxiān	8
486	视野	shìyě	4
487	室内乐	shìnèiyuè	5
488	嗜好	shìhào	7
489	手势	shǒushì	8
490	蔬果	shūguǒ	11
491	熟人	shúrén	9
492	衰落	shuāiluò	12
493	双重奏	shuāngchóngzòu	5
494	睡莲	shuìlián	5 副
495	顺便	shùnbiàn	6
496	顺口溜	shùnkǒuliū	9 副
497	瞬间	shùnjiān	3
498	四合院	sìhéyuàn	9
499	似乎	sìhū	3
500	似曾相识	sì céng xiāngshí	9
501	松柏	sōngbǎi	3
502	俗话	súhuà	3
503	素	sù	11
504	酸性	suānxìng	11
505	算盘	suànpan	7
506	损耗	sǔnhào	11

T

507	塔	tǎ	8 副
508	太极拳	tàijíquán	7
509	太空	tàikōng	4
510	谈吐	tántǔ	7
511	弹性	tánxìng	11
512	叹气	tànqì	7 副

513	糖尿病	tángniàobìng	11副
514	逃避	táobì	5
515	讨	tǎo	10
516	套	tào	10
517	梯子	tīzi	10
518	啼笑皆非	tí xiào jiē fēi	1
519	提倡	tíchàng	12
520	体系	tǐxì	12
521	体育迷	tǐyùmí	6
522	天长地久	tiān cháng dì jiǔ	10
523	天人合一	tiān rén hé yī	12
524	天生	tiānshēng	11
525	天文	tiānwén	4
526	天涯若比邻	tiānyá ruò bǐlín	9
527	田径	tiánjìng	6
528	田野	tiányě	5
529	田园诗	tiányuánshī	9
530	挑战	tiǎozhàn	6
531	铁棒磨成针	tiě bàng mó-chéng zhēn	9副
532	听话	tīng huà	7
533	同义词	tóngyìcí	8
534	童年	tóngnián	5
535	头痛医头，脚痛医脚	tóu tòng yī tóu, jiǎo tòng yī jiǎo	12
536	透亮	tòuliàng	3
537	途径	tújìng	9
538	屠宰场	túzǎichǎng	11副
539	推荐	tuījiàn	11副
540	脱口而出	tuō kǒu ér chū	6副
541	驼铃	tuólíng	4
542	唾液	tuòyè	10

W

543	蛙鸣	wāmíng	5

544	瓦	wǎ	3副
545	外人	wàirén	6
546	外行	wàiháng	2
547	玩意儿	wányìr	3
548	网络	wǎngluò	9
549	危害	wēihài	11
550	危机	wēijī	11
551	危及	wēijí	12
552	威胁	wēixié	12
553	维生素	wéishēngsù	11
554	卫星	wèixīng	4
555	温和	wēnhé	5
556	文艺复兴	wényì fùxīng	12
557	乌鸦	wūyā	10
558	污染	wūrǎn	4
559	无辜	wúgū	4
560	无为	wúwéi	5
561	梧桐树	wútóngshù	3副
562	五彩缤纷	wǔcǎi bīnfēn	5副
563	五光十色	wǔ guāng shí sè	3
564	五行	wǔxíng	1副
565	舞蹈	wǔdǎo	6
566	物质	wùzhì	12
567	物种	wùzhǒng	12

X

568	溪流	xīliú	5
569	喜出望外	xǐ chū wàng wài	2
570	戏剧界	xìjùjiè	10
571	细腻	xìnì	2
572	细微	xìwēi	12
573	细雨绵绵	xìyǔ miánmián	4
574	瞎子	xiāzi	10
575	纤维	xiānwéi	11副
576	显	xiǎn	3

577	显而易见	xiǎn ér yì jiàn	12
578	显灵	xiǎn líng	10
579	现场	xiànchǎng	5
580	限于	xiànyú	8
581	羡慕	xiànmù	6
582	相反	xiāngfǎn	11
583	项目	xiàngmù	6
584	象征	xiàngzhēng	10
585	像样儿	xiàngyàngr	7
586	消灭	xiāomiè	12
587	潇洒	xiāosǎ	6
588	小儿科	xiǎo'érkē	7
589	小提琴	xiǎotíqín	8
590	笑嘻嘻	xiàoxīxī	7 副
591	谐音	xiéyīn	10
592	心脏病	xīnzàngbìng	11
593	辛苦	xīnkǔ	7
594	欣赏	xīnshǎng	3
595	新陈代谢	xīn chén dàixiè	11
596	新文化运动时期	xīn wénhuà yùndòng shíqī	8 副
597	新颖	xīnyǐng	4
598	信笺	xìnjiān	6 副
599	兴奋	xīngfèn	3
600	兴盛	xīngshèng	12
601	星星点点	xīngxīngdiǎndiǎn	5 副
602	行为	xíngwéi	8
603	杏仁	xìngrén	11 副
604	姓氏	xìngshì	1
605	幸而	xìng'ér	2 副
606	凶兆	xiōngzhào	10
607	雄壮	xióngzhuàng	5
608	休闲	xiūxián	9
609	修剪	xiūjiǎn	3
610	秀	xiù	9
611	序曲	xùqǔ	5
612	畜牧业	xùmùyè	11
613	喧嚣	xuānxiāo	3
614	雪亮	xuěliàng	7
615	血液	xuèyè	11

Y

616	鸦片	yāpiàn	8 副
617	淹	yān	4
618	延续	yánxù	9
619	掩埋	yǎnmái	4
620	演奏	yǎnzòu	5
621	养活	yǎnghuó	11
622	遥远	yáoyuǎn	9
623	要命	yào mìng	7
624	椰子树	yēzishù	3 副
625	野味	yěwèi	4 副
626	液体	yètǐ	8
627	一成不变	yì chéng bú biàn	12
628	一带	yídài	3
629	一举两得	yì jǔ liǎng dé	2
630	一无所长	yì wú suǒ cháng	7
631	依山靠海	yī shān kào hǎi	3
632	移植	yízhí	3
633	遗产	yíchǎn	4
634	疑惑	yíhuò	1
635	以柔克刚	yǐ róu kè gāng	7
636	抑制	yìzhì	12
637	意味着	yìwèizhe	6
638	意志	yìzhì	6
639	银杏	yínxìng	3 副
640	银装素裹	yínzhuāng sù guǒ	5 副
641	隐患	yǐnhuàn	11
642	隐私	yǐnsī	7

643	婴儿	yīng'ér	1
644	永恒	yǒng	5
645	永世长存	yǒng shì cháng cún	12
646	优美	yōuměi	6
647	优质	yōuzhì	11
648	幽默	yōumò	2
649	油漆	yóuqī	10
650	游乐	yóulè	3
651	有意义	yǒu yìyì	11
652	诱发	yòufā	11
653	与日俱增	yǔ rì jù zēng	6
654	宇宙	yǔzhòu	4
655	预言	yùyán	12
656	预兆	yùzhào	10
657	欲望	yùwàng	6
658	寓言	yùyán	4 副
659	愈	yù	11 副
660	园林	yuánlín	9
661	原始	yuánshǐ	6
662	源头	yuántóu	9
663	晕头转向	yūn tóu zhuàn xiàng	6 副
664	晕眩	yūnxuàn	3
665	熨	yùn	6 副

Z

666	灾	zāi	10
667	宰杀	zǎishā	11
668	再版	zàibǎn	5
669	赞美	zànměi	7
670	糟	zāo	1
671	贼	zéi	2 副
672	炸药	zhàyào	7
673	窄	zhǎi	2
674	沾边	zhān biānr	8
675	展现	zhǎnxiàn	6

676	崭新	zhǎnxīn	11
677	遮挡	zhēdǎng	3 副
678	遮阳	zhēyáng	3 副
679	哲学家	zhéxuéjiā	7
680	者	zhě	12
681	征服	zhēngfú	12
682	政客	zhèngkè	7
683	吱吱喳喳	zhīzhīzhāzhā	5
684	枝繁叶茂	zhī fán yè mào	3 副
685	知识分子	zhīshi fènzǐ	9
686	脂肪	zhīfáng	11
687	直径	zhíjìng	4
688	只见树木，不见森林	zhǐ jiàn shùmù, bú jiàn sēnlín	12
689	秩序	zhìxù	9
690	中和	zhōnghé	11
691	中药铺	zhōngyàopù	7
692	众所周知	zhòng suǒ zhōu zhī	11
693	竹笋	zhúsǔn	5 副
694	主导	zhǔdǎo	12
695	主张	zhǔzhāng	12
696	爪牙	zhǎoyá	11
697	赚钱	zhuàn qián	7
698	庄稼	zhuāngjia	11 副
699	庄严	zhuāngyán	5
700	装饰品	zhuāngshìpǐn	2 副
701	撞	zhuàng	10
702	撞击	zhuàngjī	8
703	拙作	zhuōzuò	7
704	子曰	zǐ yuē	12 副
705	自豪	zìháo	7
706	自讨苦吃	zì tǎo kǔ chī	10
707	揍	zòu	8
708	祖先	zǔxiān	12

附录二　专名总表

附录三　语言点总表

B		
A 把 B 动词 + 作 C	A bǎ B dòngcí + zuò C	7
A 被 B 所 动词	A bèi B dòngcí	9
比方说	bǐfāngshuō	8
毕竟	bìjìng	9
并 + 否定	bìng+fǒudìng	1
不管……，反正……	bùguǎn……, fǎnzhèng……	2
A 不比 B + adj.	A bùbǐ B + adj.	7
不过……罢了	búguò……bàle	3
不是……而是……	búshì……érshí……	8
不是 A 就是 B	búshì A jiùshì B	1
C		
……成其为……	……chéngqíwéi……	3
迟早	chízǎo	12
除非……否则……	chúfēi……fǒuzé……	8
从……来看	cóng……láikàn	12
从而	cóng'ér	4
D		
对……来说	duì……láishuō	9
F		
凡是……都……	fánshì……dōu……	8
反而	fǎn'ér	5
否则	fǒuzé	12
G		
干脆	gāncuì	1
A 跟 / 和 B 有……的关系 / 无关	Agēn/hé B yǒu……de guānxi/wúguān	8
姑且不论 A，B……	gūqiě búlùnA, B……	11

H		
何不	hébù	5
J		
即使……也……	jíshǐ……yě……	6
加以	jiāyǐ	12
简直	jiǎnzhí	7
仅……就……	jǐn……jiù……	4
究竟	jiūjìng	4
就……而言	jiù……éryán	11
居然	jūrán	1
K		
可见	kějiàn	8
L		
连忙	liánmáng	1
另外	lìngwài	10
M		
没有比……更/再……的（n.）了	méiyǒubǐ……gèng/zài……de (n.) le	7
N		
拿……来说	ná……láishuō	9
难免	nánmiǎn	10
宁可	nìngkě	10
O		
偶尔	ǒ'ěr	5
P		
偏偏	piānpiān	10
Q		
其	qí	12
轻则……重则……	qīngzé……zhòngzé……	11
S		
是……V的	shì……V de	1
A＋所＋动词＋的＋B	A+suǒ+dòngcí+de+B	9
W		
为……而……	wèi……ér……	4

无论／不管……也／都……	wúlùn/bùguǎn……yě/dōu……	7
X		
相反	xiāngfǎn	11
Y		
一般说来	yìbānshuōlái	2
一来……二来……	yìlái……èrlái……	3
一向	yíxiàng	5
以……为主	yǐ……wéizhǔ	11
以便	yǐbiàn	4
尤其	yóuqí	5
由于……所以……	yóuyú……suǒyǐ……	5
与／和……相比	yǔ/hé……xiāngbǐ	9
与其……宁可……	yǔqí……nìngkě……	10
……，以……	……，yǐ……	3
Z		
再说	zàishuō	10
在……（的）程度上	zài……(de) chéngdùshang	5
在……看来	zài……kànlái	6
在于	zàiyú	2
照说A，但是／可是／不过B	zhàoshuō A dànshì/kěshì/búguò B	2
A……，（而）B则……	A……，(ér)B zé……	2
这样一来	zhèyàngyìlái	6
之所以……是因为……	zhīsuǒyǐ……shìyīnwèi……	6
至于	zhìyú	2
总之	zǒngzhī	6

附录四　语素和词

1.	保	保持	6
2.	悲	悲伤	5
3.	奔	奔跑	6
4.	弊	弊端	12
5.	财	财富	4
6.	端	开端	9
7.	发	发毛	1
8.	乏	匮乏	12
9.	繁	繁星	4
10.	丰	丰盛	7
11.	观	观测	4
12.	馆	饭馆	8
13.	轨	轨道	4
14.	行	外行	2
15.	化	简化	8
16.	欢	欢愉	5
17.	患	隐患	11
18.	荒	荒岛	2
19.	祸	祸源	11

20.	惑	疑惑	1
21.	吉	吉祥	10
22.	简	简化	8
23.	交	交涉	8
24.	界	戏剧界	10
25.	惊	惊讶	1
26.	精	精彩	6
27.	警	警告	1
28.	静	宁静	3
29.	科	小儿科	7
30.	裂	断裂	9
31.	灵	灵通	2
32.	迷	体育迷	6
33.	命	命运	2
34.	铺	中药铺	7
35.	弃	放弃	1
36.	侵	侵犯	10
37.	情	神情	3
38.	然	茫然	6

39.	赏	观赏	3		51.	型	大型	5
40.	视	忽视	12		52.	性	复杂性	8
41.	熟	熟人	9		53.	遗	遗产	4
42.	衰	衰落	12		54.	隐	隐私	7
43.	私	隐私	7		55.	优	优质	11
44.	素[1]	吃素	11		56.	预	预兆	10
45.	素[2]	维生素	11		57.	源	源头	9
46.	危	危机	11		58.	兆	预兆	10
47.	味	趣味	2		59.	植	移植	3
48.	闻	见闻	9		60.	壮	雄壮	5
49.	险	冒险	3		61.	奏	演奏	5
50.	兴	兴盛	12					